fusée

GENEVIÈVE TALON
AND
ALAN WESSON

Hodder & Stoughton

A MEMBER OF THE HODDER HEADLINE GROUP

à Abby et Alex à Juliette
A.W. G.T.

Orders: please contact Bookpoint Ltd, 130 Milton Park, Abingdon, Oxon OX14 4SB. Telephone: (44) 01235 827720, Fax: (44) 01235 400454. Lines are open from 9.00 – 6.00, Monday to Saturday, with a 24 hour message answering service. Email address: orders@bookpoint.co.uk

British Library Cataloguing in Publication Data
A catalogue record for this title is available from The British Library

ISBN 0 340 75846 5

First published 2000
Impression number   10 9 8 7 6 5 4
Year   2005 2004 2003 2002 2001

Copyright © 2000 Geneviève Talon and Alan Wesson

Editorial, design and production by Hart McLeod, Cambridge

Printed in Italy for Hodder & Stoughton Educational, a division of Hodder Headline Plc, 338 Euston Road, London NW1 3BH.

The Authors and Publishers are grateful to the following for permission to reproduce photographs: Pictor International, Colorific, the Telegraph Colour Library and the Office de Tourisme des Sables d'Olonne. All commissioned photography is by Charlie Gray.

Illustrations in *fusée* are by Marcus Askwith, Nick Duffy, Belinda Evans, Roger Langridge, David Mitcheson, Alan Wade, Sarah Warburton and Lisa Williams.

Contents

Bonjour

Welcome to *fusée*. In this book, you will start learning to speak French. You will also learn about France and French-speaking countries.

You will listen to and read about topics which we hope you will find interesting. With the help of the book, you will speak and write about yourself, your interests, your family and friends, and what you like and dislike.

The **Comment ça marche** sections in each unit tell you about French grammar. Grammar is the "nuts and bolts" of how language works. There is a summary of all the grammar points at the end of the book (starting on page 162). This will help you if you need to look up an explanation again.

Sometimes you will see a box called **Petit truc**. This will help you link language you already know to a new piece of language you are learning.

Once you understand the new language in a unit, you can begin to enjoy the reading material (**Pages lecture**) and follow the cartoon story called **Fréquence-collège**. This is all about a group of French children who run a radio station in their school.

At the end of each unit, there is a page of creative activities called **Découvertes**. This contains creative tasks, songs and poems for you to listen to and practise – you can even have a go at writing some yourself! There are also interesting websites listed for you to discover on the Internet.

The vocabulary lists at the back will help you find the meaning of any French words you don't understand. It will also help you find the French for some of the words you might need to talk about your own interests.

We hope you enjoy your first taste of French with *fusée*.

Amuse-toi bien!

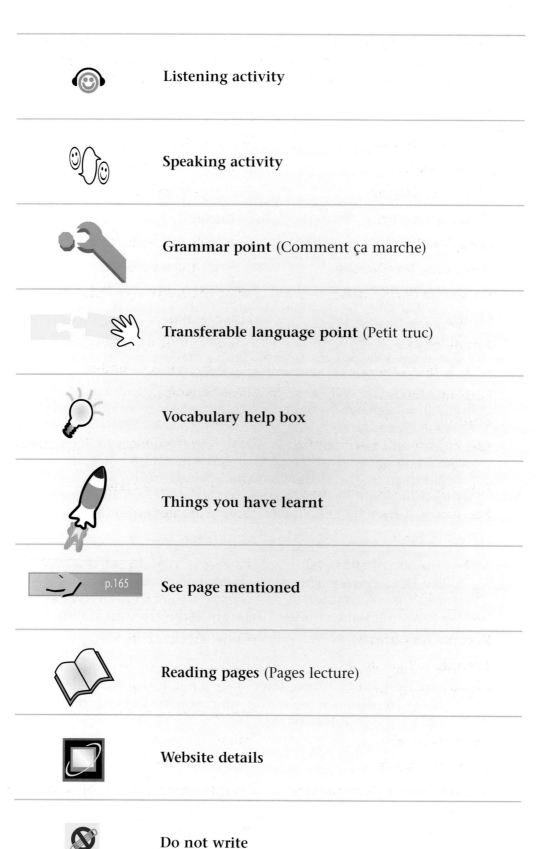

Listening activity

Speaking activity

Grammar point (Comment ça marche)

Transferable language point (Petit truc)

Vocabulary help box

Things you have learnt

See page mentioned

Reading pages (Pages lecture)

Website details

Do not write

The instructions for the activities in *fusée* are all in French. We've given you the English too in the first five units – after that it's up to you! If you need to check what the instructions mean, here is a list of the main ones you'll meet:

À deux.	In pairs.
À toi de choisir...	You choose...
À trois/quatre.	In groups of 3 or 4.
C'est quel dessin?	Which picture is it?
Changez de rôle.	Swap roles.
Complète les phrases.	Complete the sentences.
Débrouille les phrases.	Sort out the sentences.
Dessine le bon symbole.	Draw the correct symbol.
Écoute encore.	Listen again.
Écoute et lis.	Listen and read.
Écris le bon numéro.	Write the correct number.
Écris une lettre à...	Write a letter to...
Ensuite, ...	Then, ...
Fais correspondre les phrases et les dessins.	Match the sentences to the pictures.
Fais des interviews en classe.	Do interviews in class.
Fais des phrases.	Make sentences.
Faites un dialogue.	Do a dialogue.
Mets les images dans l'ordre.	Put the pictures in the right order.
Qu'est-ce que c'est?	What is it?
Qui dit quoi?	Who says what?
Recopie les phrases.	Copy out the sentences.
Regarde la liste de mots.	Look at the list of words.
Regarde les dessins.	Look at the pictures.
Remplace les mots soulignés.	Replace the underlined words.
Remplis les blancs.	Fill in the gaps.
Remplis le tableau.	Fill in the grid.
Ton professeur distribue une fiche.	Your teacher will give you a worksheet.
Vrai ou faux?	True or false?

Antoine
13 years old. Antoine is Ibrahim's best friend. He is friendly and outgoing.

Delphine
14 years old. One of two blind students at the collège Jacques-Prévert. Lively and hard-working, and interested in music and reading.

Ibrahim
14 years old. Very sociable. Sporty and hard-working, but a bit disorganised.

Jeanne
13 years old. Considered to be a "whirlwind" by the other students, because she always seems to be everywhere at once!

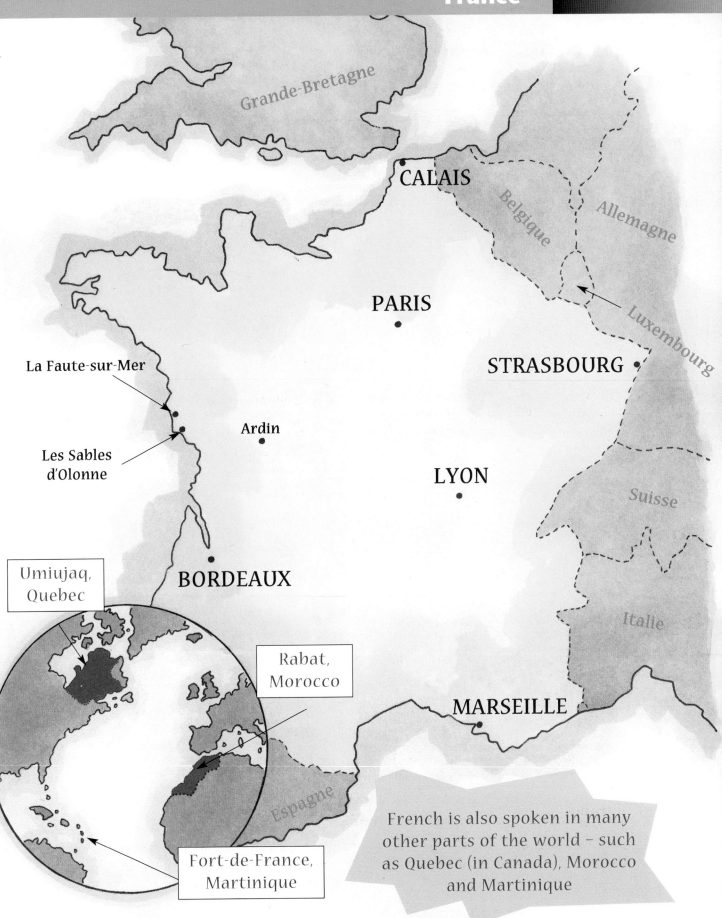

Grande-Bretagne

CALAIS

Belgique

Allemagne

Luxembourg

PARIS

STRASBOURG

La Faute-sur-Mer

Ardin

LYON

Suisse

Les Sables d'Olonne

BORDEAUX

Italie

Umiujaq, Quebec

Rabat, Morocco

MARSEILLE

Fort-de-France, Martinique

Espagne

French is also spoken in many other parts of the world – such as Quebec (in Canada), Morocco and Martinique

Le collège

A Le collège, les copains

In this unit you'll find out how to...

- talk about school and school friends
- understand your teacher
- talk about school subjects
- spell out words
- talk about your teachers

 1 Écoute et lis. Listen and read.

1

C'est le collège.
Le collège s'appelle "Jacques-Prévert".

2

Tu aimes le collège, Juliette?

Oui, j'aime bien. C'est sympa, le collège.

3

Bonjour!

Salut!

4

Je m'appelle Laura. Comment t'appelles-tu?

Je m'appelle Tom.

5

Pardon?

Il s'appelle Tom.

6

J'aime bien les copains.

2 Recopie les phrases. Complète les phrases.
Copy and complete the sentences.

Exemple: **1** C'est le collège.

1 C'est le _____ .

2 Le collège _____ "Jacques-Prévert".

3 Tu _____ le collège, Juliette?

4 C'est _____ , le collège.

5 Je _____ Laura.

6 Il _____ Tom.

3 Écoute. Recopie les phrases. Regarde la liste de mots.
Complète les phrases.
Listen. Copy out the sentences. Look at the list of words.
Complete the sentences.

1 Le collège _____ "Fairfield High School".
2 _____ _____ le collège, Amy?
3 Oui, j'aime bien. _____ _____ , le collège.
4 Bonjour! _____ _____ _____ ?

5 Je m'appelle _____ .
6 Ah! _____ _____ Rachel.
7 _____ ?
8 _____ _____ Rachel.
9 J'aime bien _____ _____ .

Antoine	Elle s'appelle	Pardon
C'est sympa	Je m'appelle	s'appelle
Comment t'appelles-tu?	les copains	Tu aimes

4 À deux. Faites un dialogue avec Takashi
et avec Mélanie. Changez de rôle.
In pairs. Do a dialogue with
Takashi and then with Mélanie. Swap roles.

Je m'appelle… Comment t'appelles-tu?

Pardon?

Tu aimes le collège, Takashi?

Takashi

Mélanie

Je m'appelle Mélanie.

Je m'appelle Mé-la-nie.

Oui, j'aime bien. C'est sympa, le collège.

Comment ça marche

je
j'

tu

il

elle

Use **je**, **j'** to talk about yourself, **tu** to talk to someone else, **il** or **elle** to talk about someone or something else.

p.162

Now you know how to...

• talk about school and school friends:

Bonjour.
Salut.

Comment t'appelles-tu?
Je m'appelle...

Il s'appelle...
Elle s'appelle...

C'est le collège.
Le collège s'appelle...

Tu aimes...?
Oui, j'aime bien.

C'est sympa,...

Pardon?

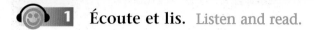

1 🎧 **Écoute et lis.** Listen and read.

1 — Ouvrez le livre. Lisez page 3.

2 — Prenez la feuille de travail.

3 — Écrivez dans le cahier.

4 — Écoutez la cassette.

5 — Travaillez ensemble.

6 — Pardon?

7 — Je ne comprends pas.

8 — Plus lentement, s'il vous plaît.

9 — Qu'est-ce que ça veut dire?

2 🎧 **Écoute. C'est quel dessin?**
Listen. Which picture is it?

Exemple: **1** = c

 a

 b

 c

 d

3 Écoute. Que dit le professeur?
Listen. What does the teacher say?

Exemple: **1** = d

4 Écoute. Fais correspondre. Listen and match.

Exemple: **1** = c

Now you know how to...

• understand your teacher:

Ouvrez le livre.
Lisez page 3.
Prenez la feuille de travail.
Écrivez dans le cahier.
Écoutez la cassette.

Je ne comprends pas.
Plus lentement, s'il vous plaît.
Qu'est-ce que ça veut dire?

1 **Lis.** Read.

les maths   le français   le sport l'informatique

2 **Écoute et lis.** Listen and read.

1 J'aime les maths. C'est intéressant.

2 Tu aimes le français?

Non, c'est ennuyeux. Je n'aime pas le français.

3 Oui. J'aime le sport. C'est super.

4 Tu aimes l'informatique?

Non, l'informatique, c'est nul.

5 Il aime les maths. Il n'aime pas le français.

6 Et Laura? Elle aime le sport?

Oui, elle aime le sport. Elle n'aime pas l'informatique.

3 **Recopie. Dessine le bon symbole.**
Copy. Draw the correct symbol.

Exemple: c'est nul

c'est nul	je n'aime pas
oui	c'est super
il aime	il n'aime pas
elle n'aime pas	c'est intéressant
j'aime	elle aime
c'est ennuyeux	non

4 **Lis les phrases. Dessine les bons symboles.**
Read the sentences. Draw the correct symbols.

Exemple: **1**

1 J'aime les maths.
2 L'informatique, c'est ennuyeux.
3 Il aime l'informatique.
4 Oui, c'est super, le français.
5 C'est nul, le sport.
6 Je n'aime pas le français.
7 C'est intéressant, le sport.
8 Elle n'aime pas le français.
9 Non, je n'aime pas les maths.
10 C'est super, l'informatique.

Comment ça marche

There are four words for "the" in French:

le	cahier
la	cassette
l'	informatique
les	copains

p.166

Comment ça marche

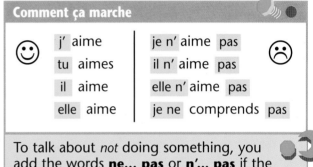

☺	j' aime	je n' aime pas	☹
	tu aimes	il n' aime pas	
	il aime	elle n' aime pas	
	elle aime	je ne comprends pas	

To talk about *not* doing something, you add the words **ne... pas** or **n'... pas** if the next word begins with a vowel (a, e, i, o, u).

p.165

5 **À deux. Parlez.**
In pairs. Speak.

Exemple: **A**: Tu aimes les maths?
         B: Oui,...

6 **À deux. Dessinez et parlez.**
In pairs. Draw and speak.

Exemple: **A**:

         B: Il n'aime pas les maths.

         B:

         A: Elle aime le français.

Écoute. Qu'est-ce que c'est en anglais?
Listen. What is it in English?

• Does she like sport?
• She likes sport.

You can ask a question just by raising your voice at the end of the sentence:

• Elle aime le sport.
• Elle aime le sport?

7 **Écris à Juliette.**
Write to Juliette.

Chère Juliette

J'aime...
C'est...
Je n'aime pas...
Tu aimes... ?

Now you know how to...

• talk about school subjects:

j'aime	je n'aime pas	les maths
tu aimes	tu n'aimes pas	le français
il aime	il n'aime pas	le sport
elle aime	elle n'aime pas	l'informatique

| Oui. | C'est super. | C'est intéressant. |
| Non. | C'est nul. | C'est ennuyeux. |

D | L'alphabet

 1 **Écoute et lis.**
Listen and read.

a	h	o	v	ll
b	i	p	w	'
c	j	q	x	é
d	k	r	y	è
e	l	s	z	A
f	m	t		ç
g	n	u		

 2 **Écoute et écris.**
Comment ça s'épèle?
Listen and write.
How is it spelled?

Exemple: **1** nul

 3 **À deux. Parlez et écrivez.**
In pairs. Speak and write.

Exemple :   **A:** t–u a–i–m–e–s.
B: tu aimes.
A: Oui!
B: Antoine, comment ça s'épèle?
A: a majuscule–n–t–o–i–n–e.
B: Oui!

E | Madame Thomas est sévère

1 **Écoute et lis.** Listen and read.

1
Le prof d'anglais, c'est madame Thomas.

Elle est sympa?

2
Non, elle est sévère.

3
Le prof de géographie s'appelle monsieur Duval.

Il est sévère?

4
Non, il est sympa.

2 **Écoute encore et lis. Vrai ou faux?**
Listen again and read. True or false?

Exemple: **1** faux

1 Madame Thomas est sympa.
2 Monsieur Duval est le prof de géographie.
3 Monsieur Duval est sympa.
4 Madame Thomas est sévère.

5 Le prof de géographie, c'est madame Thomas.
6 Le prof d'anglais est sévère.
7 Le prof de géographie est sympa.
8 Le prof d'anglais s'appelle monsieur Duval.

 3 **Écoute. Qui est sympa? Qui est sévère? Dessine le bon symbole (☺ ou ☹).**
Listen. Who is nice? Who is strict? Draw the correct symbol.

Exemple: **1** ☹

1 le prof de français   **2** le prof de sport   **4** le prof de maths

3 le prof d'informatique

4 **Écris les phrases.**
Write out the sentences.

Exemple: **1** Le prof de français est sévère.

5 **Parle et enregistre. Écris. Le collège, tu aimes? Tu n'aimes pas?**
Speak and record. Write. Do you or don't you like school?

• les copains
• le français, les maths, l'informatique...
• les profs

Exemple: J'aime le collège.
Les copains, c'est...
J'aime le français. C'est...
Je n'aime pas... C'est...
Le prof d'anglais s'appelle...
Il/Elle est...

Comment ça marche

This is how you tell someone what your teacher is called:

le prof d'anglais, c'est...
le prof d'anglais s'appelle...

and how you describe him or her:

il est...   **elle est...**

Now you know how to...

• spell out words
• talk about your teachers:

Le prof d'anglais, c'est...
Le prof de géographie s'appelle...

| il est | sympa |
| elle est | sévère |

1 Écoute. Regarde page 12. C'est quelle image?
Listen. Look at page 12. Which picture is it?

Exemple: **a = 3**

2 À trois. Regardez les dessins. Regardez page 12.
Faites un nouveau dialogue.
In groups of three. Look at the pictures.
Look at page 12. Do a new dialogue.

Sam   Aurélie   Nathalie

3 À deux. A **montre un dessin.** B **répond. Changez de rôle.**
In pairs. **A** shows a picture. **B** answers. Swap roles.

Exemple: Plus lentement, s'il vous plaît.

 4 Écoute. Fais correspondre. Listen and match.

Exemple: **1** = *i*

a   **d**   **g**

b   **e**   **h**

c   **f**   **i**

 5 **a** À deux. Regardez les symboles de l'activité 4. Parlez.
In pairs. Look at the symbols in activity 4. Speak.

Exemple: **a** J'aime les maths.

b Regardez encore les symboles de l'activité 4. Faites des phrases avec "il" ou "elle".
Look again at the symbols in activity 4. Make sentences with **il** or **elle**.

Exemple: **a** Il/Elle aime les maths.

 6 À deux. Regardez la liste de mots.
Cachez la liste. Comment ça s'épèle?
Parlez et écrivez.
In pairs. Look at the list of words. Hide the list.
How do you spell it? Speak and write.

Exemple: **A:** cahier
B: c–a–h–i–e–r.

oui	prof
Laura	j'aime
pardon	géographie
livre	Mélanie
cahier	sévère

 7 À deux. Choisissez des mots. Comment ça s'épèle?
Parlez (et écrivez). Changez de rôle.
In pairs. Choose some words. How do you spell them?
Speak (and write). Swap roles.

Exemple: **A:** copain
B: c–o–p–a–i–n.

8 À deux. Parlez de vos professeurs.
In pairs. Talk about your teachers.

Exemple: **A:** Le prof d'anglais s'appelle Mrs Hetherington.
B: Elle est sympa?
A: Oui, elle est… /Non, elle est…
B: Le prof de maths, c'est…

WEBSITE : school life

www.okapi.bayardpresse.fr

This website is called *Le forum
Okapi* – a fun magazine for
teenagers, full of their opinions
on school life.

Pages lecture

1

Bouge,
fais du sport!

a

e

c

Canada

Louisiane

Antilles

2

C'est officiel:
en France, on aime l'informatique

3

Enquête au collège: les maths, c'est super ou c'est nul?

< + √ ∠ % >

d

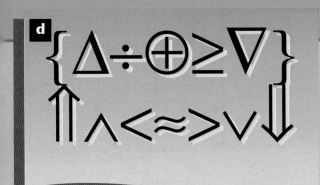

4 # Oui, le rock en français, c'est possible

f

b

5 # En Amérique aussi, on parle français

6 # Informatique au collège : le ministre parle

 Fais correspondre.
Match the headlines and the pictures.

Découvertes

Le français, c'est sympa!

J'aime le collège, <u>Antoine</u>, <u>Sarah</u>, <u>Laura</u>,
Les copains, oui, c'est sympa.

<u>Les maths</u>, non, je n'aime pas,
<u>Les maths</u>, je ne comprends pas!
Le prof de <u>maths</u>, c'est
Monsieur <u>Thomas</u>.
"Monsieur <u>Thomas</u>,
Plus lentement, s'il vous plaît!"

Le prof <u>d'anglais</u> est ennuyeux: "Écrivez
Dans le cahier:
Le collège s'appelle..."
A, b, c, d, e, f, g,
Comment ça s'épèle?

<u>L'informatique</u>, c'est super?
Non! C'est nul: le prof <u>d'informatique</u> est sévère.

Le <u>français</u>, j'aime bien, c'est intéressant, c'est super.
Le prof de <u>français</u> n'est pas sévère,
Il est sympa: "Bonjour! Salut!
Comment t'appelles-tu?"

 1 **Lis et écoute. Apprends une strophe. Remplace les mots soulignés.
Écris un poème.**
Read and listen. Learn a verse. Replace the underlined words.
Write a poem.

Exemple: <u>Les maths</u>, c'est sympa!

2 **Comment dit-on en français...? Cherche (dans le dictionnaire, par exemple).**
How do you say this in French? Look it up (in the dictionary, for instance).

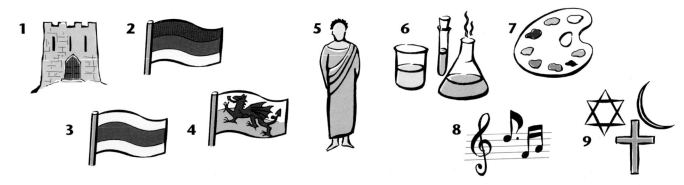

 3 **Écoute et répète.** Listen and repeat.

Tu es comment?

In this unit you'll find out how to...
- **describe yourself and your friends**
- **give your opinions**

A   Trop petite ou trop grand?

1   Écoute et lis.   Listen and read.

1

Tu es petite, Leïla. Je suis grand. J'aime ça.

Je suis de taille moyenne. J'aime ça.

2

Non! Regarde.

Tu es trop grand, Félix.

3

Regarde moi aussi, Leïla. Tu es trop petite.

Non! Tu es trop grand, Mustafa.

4

Non, je suis de taille moyenne. J'aime ça. Tu es trop petite, Leïla!

Mustafa aussi, il est trop petit!

5

Bah! Ça m'est égal.

Tu es jaloux!

6

Grand? Petit? De taille moyenne? Ça m'est égal!

💡 Je comprends!

j'aime ça = I like that   **trop** = too
jaloux = jealous   **selon** = according to
ça m'est égal = I'm not bothered

2 **Vrai ou faux?** True or false?

Exemple: **1** faux

1 Leïla est grande.
2 Félix est petit.
3 Mustafa est de taille moyenne.
4 Selon Leïla, Félix est trop grand.

3 **Recopie les phrases. Complète les phrases.**
Copy and complete the sentences.

Exemple: **1** Il est de taille moyenne.

1

Il est ____

2

Elle est ____

3
Elle est ____

4

Il est ____

5

Elle est ____

6

Il est ____

4 **Fais des phrases.** Make sentences.

Exemple: **1** Il est (trop) grand.

1

2

3

5 **À deux. Décrivez un copain/une copine.**
C'est qui? Changez de rôle.

In pairs. Describe a friend. Who is it? Swap roles.

Exemple: **A**: Il est grand. Il aime les maths.
B: Simon.

Comment ça marche

il est   elle est
grand   grand e

il est   elle est
petit   petit e

Words for describing people or things have different endings for the masculine and the feminine.

p.168

Comment ça marche

je suis	I am
tu es	you are
il est	he/it is
elle est	she/it is
Alex est	Alex is

Use **je suis, tu es, il est** and **elle est** for talking about how people and things are.

p.164

Now you know how to...

• say how tall someone is:

je suis	trop	grand(e)
tu es		petit(e)
elle est		petite
il est		grand
Pierre est	de taille moyenne	

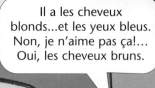

1　**Écoute et lis.** Listen and read.

💡 **Je comprends!**

et = and

2　**Fais des phrases.**
Make sentences.

Exemple: **1** = d

1 Éric a	**a** les cheveux bruns.
2 Pierre a	**b** les yeux marron.
3 Jérémie a	**c** les cheveux noirs.
4 Denis a	**d** les yeux bleus.

3 Recopie les phrases. Complète les phrases.
Copy and complete the sentences.

Exemple: **1** Éric a les cheveux <u>blonds</u>.

1 Éric a les cheveux _____ .
2 Pierre a les _____ gris.
3 Jérémie a les cheveux _____ .
4 Denis a les _____ _____ .

4 Fais des phrases.
Make sentences.

Exemple: **1** Il a les cheveux bruns et les yeux bleus.

1 cheveux il les bruns les bleus yeux a et
2 elle cheveux les a blonds et yeux marron les
3 j' yeux les gris et roux les cheveux ai
4 Béatrice verts les yeux cheveux bruns et a les

5 À deux. Devinette. C'est qui? Changez de rôle.
Guessing game in pairs. Who is it? Swap roles.

Exemple: **A**: Il a les cheveux bruns et les yeux gris.
B: Pierre.

6 Dessine et décris des personnes connues.
Draw and describe some famous people.

Exemple:

Il a les cheveux bruns et...

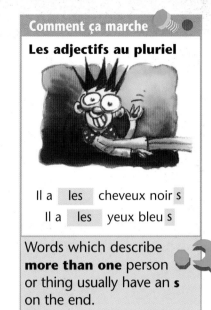

Comment ça marche

Les adjectifs au pluriel

Il a | les | cheveux noir s
Il a | les | yeux bleu s

Words which describe **more than one** person or thing usually have an **s** on the end.

p.168

Comment ça marche

j'ai	I have (got)
tu as	you have
il a	he/it has
elle a	she/it has
Théo a	Théo has

Use **j'ai**, **tu as**, **il a** and **elle a** for saying what someone or something has.

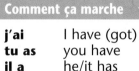

p.164

Now you know how to...

• describe the colour of someone's hair and eyes:

j'ai	les cheveux	blonds
tu as		noirs
		roux
		bruns
elle a	les yeux	verts
il a		bleus
		marron
		gris

1 **Écoute et lis.** Listen and read.

1 Stéphane, il est comment?

Il est sportif mais assez bavard...

2 Et Laure, elle est comment?

Laure? Elle est assez cool mais trop travailleuse.

3 Et Romain, il est comment?

Romain? Il est calme... mais assez mou.

4 Et Magali, elle est sympa?

Hmm... assez sympa – mais paresseuse. Elle est trop paresseuse!

5 Et... Juliette? Elle est gentille, non?

Hmm... assez énergique, mais elle est trop ennuyeuse.

6 Et toi? Tu es comment, alors?

Moi, je suis... tolérant. Je suis assez tolérant et compréhensif.

Je comprends!

mais = but
assez = quite
tolérant = tolerant

2 **Fais des phrases.** Make sentences.

Exemple: **1 = d**

1 Selon Louis, Laure   **a** est trop ennuyeuse.
2 Selon Louis, Romain   **b** est tolérant.
3 Selon Louis, Magali   **c** est assez sympa.
4 Selon Louis, Juliette   **d** est assez cool.
5 Selon Louis, Louis   **e** est calme.

3 Recopie les phrases. Complète les phrases.
Copy and complete the sentences.

Exemple: **1** Selon Louis, Romain est assez mou.

1 Selon Louis, Romain est _____ _____. **4** Selon Louis, Stéphane est _____ _____.
2 Selon Céline, Juliette est _____. **5** Selon Louis, Laure est _____ _____.
3 Selon Louis, Magali est _____ _____.

4 Écris encore deux phrases comme dans l'activité 3.
Write two more sentences like the ones in activity 3.

5 À deux. Devinette. C'est qui?
Guessing game in pairs. Who is it?

Exemple: **A**: Il est sportif mais assez bavard.
B: Stéphane.

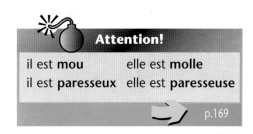

Attention!

| il est **mou** | elle est **molle** |
| il est **paresseux** | elle est **paresseuse** |

p.169

6 À quatre. Jouez aux "conséquences". A commence, B continue…
In fours. Play consequences. A starts, B carries on…

Exemple:
A: Il…
B: est…
C: assez…
D: cool…
A: mais…
B: trop…

Now you know how to...

• describe someone's character or personality:

elle est	assez	calme	mais trop	ennuyeuse
		gentille		paresseuse
		sympa		travailleuse
il est		énergique		bavard
		compréhensif		mou
		sportif		cool

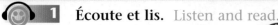

1 **Écoute et lis.** Listen and read.

1

Tu portes l'uniforme scolaire, Abigail. Tu aimes ça?

Non, je déteste ça. C'est obligatoire.

2

J'aime les boucles d'oreille, Lucie.

Moi aussi – mais je déteste les piercings!

3

Je voudrais un piercing!

Moi, je porte des lunettes. Je n'aime pas!

4

Je déteste les lunettes. J'ai des verres de contact.

Moi, je suis musulmane. Je porte le foulard.

5

C'est obligatoire, Nabila?

Oui, mais moi, j'aime.

6

Et voilà Thomas. Il porte des lunettes de soleil. Pour Thomas, c'est obligatoire. Il est cool, Thomas!

2 **Vrai ou faux?** True or false?

Exemple: **1** vrai

1 Abigail déteste l'uniforme scolaire.
2 Abigail aime les boucles d'oreille.
3 Abigail porte des lunettes.
4 Lucie a des verres de contact.
5 Nabila aime le foulard.

Je comprends!

voilà… = there's…

3 **Complète les phrases.** Complete the sentences.

Exemple: **1** Abigail porte l'uniforme scolaire.

1 Abigail porte...
2 Lucie déteste...
3 Lucie porte...
4 Abigail a...
5 Nabila porte...
6 Thomas porte...

4 **À deux. Posez des questions.** In pairs. Ask questions.

Exemple: **A**: Tu voudrais des lunettes de soleil?
          B: Non, je déteste les lunettes de soleil.

J'aime le chocolat.

To emphasise what you are saying or to give an opinion which is different from someone else's, you can put **moi, je...** at the beginning of a sentence.

Moi, je déteste le chocolat.

5 **Fais des interviews en classe. Note les résultats.**
Do interviews in class. Note down the results.

Exemple: **Harry**: Tu aimes l'uniforme scolaire?
          Sally: Non. Moi, je déteste ça.

6 **Fais des phrases.** Make sentences.

Exemple: Sally déteste l'uniforme scolaire.

Now you know how to...

• talk about what you wear, and give an opinion:

je porte	l'uniforme scolaire des lunettes (de soleil) le foulard
j'ai	des verres de contact
je voudrais	un piercing
j'aime	les boucles d'oreille
je déteste	les piercings les lunettes
c'est	obligatoire

1 Fais correspondre les phrases et les images.

Match the sentences to the pictures.

Exemple: **1** = c

1 Il est grand.
2 Elle est grande.
3 Il est petit.
4 Elle est petite.
5 Il est de taille moyenne.
6 Elle est de taille moyenne.

2 Donne les opinions de ces personnes. Sers-toi de "selon" et "trop".

Give these people's opinions. Use **selon** and **trop**.

Exemple: Selon Louis…

3 Qui est-ce? Who is it?

Exemple: **1** = b

1 Nicolas a les cheveux bruns.
2 Simon a les yeux marron.
3 Martine a les cheveux blonds.
4 Sabine a les yeux bleus.

4 Complète les descriptions.
Complete the descriptions.

Exemple: **1** Nicolas a les cheveux bruns et les yeux marron.

5 **Combien de phrases peux-tu faire avec ces mots?**

How many sentences can you make with these words?

Exemple: Elle est vraiment paresseuse.

il	est	assez	bavard
elle		vraiment	paresseuse
		un peu	cool

6 **Trouve des photos de personnes connues.**
Donne ton opinion.

Find photos of some famous people.
Say what you think of them.

Exemple: Elle est très énergique et
assez cool.

7 **Combien de phrases peux-tu faire avec**
ces mots?

How many sentences can you make with
these words?

Exemple: Je porte des lunettes.

je	voudrait	l'uniforme scolaire
j'	voudrais	le foulard
tu	porte	des lunettes
il	aime	des verres de contact
elle	déteste	

8 **Écris une lettre à un copain/une copine.**
Combien de questions peux-tu poser?
Combien d'opinions peux-tu donner?

Write a letter to a friend.
How many questions can you ask?
How many opinions can you give?

Exemple:

Cher Marc/Chère Chantal

Tu aimes l'uniforme scolaire?
Je...

Amitiés

**WEBSITE : personal
appearance and character**

www.kazibao.net

This is another web magazine called
Kazibao where you can meet French
teenagers, and practise describing
yourself and your character!

Pages lecture

Bonjour, Picasso!
Van Gogh

Hervé,
Je ne comprends pas.
Pourquoi,
pourquoi,
pourquoi,
pourquoi?

Clarisse

Gilles
Tu es gentil!
Véronique

Rose
Non!
Pierre

Tom
Je t'aime
Jojo
xxxx

Luke Skywalker
Où es-tu?
R2D2

Merci, Aurore.
Merci pour tout.
J

Clémence
C'EST FINI
William

Napoléon aime Joséphine

Ève
Tu es un phénomène!
Adam

Tu as les yeux marron.

Tu as les cheveux blonds.

Tu es sportive, énergique et sympa.

Tu étais à la fête de Paul.

Comment t'appelles-tu?

Jean

Adèle. Tu es...

bavarde, bavarde, bavarde,
bavarde, bavarde, bavarde,
bavarde, bavarde, bavarde,
bavarde, bavarde, bavarde,
bavarde, bavarde, bavarde,
bavarde, bavarde, bavarde,
bavarde!

Damien

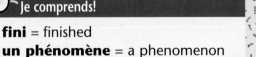 **Je comprends!**

fini = finished
un phénomène = a phenomenon
un empereur = an emperor
une fleur = a flower
trouve = find
tu étais = you were

Qui... Who...
1 ne comprend pas?
2 aime Jojo?
3 est bavarde?
4 est un phénomène?
5 est gentil?

Trouve... Find...
1 deux artistes.
2 un empereur.
3 un couple de la Bible.
4 une fleur.
5 un robot.

Vrai ou faux? True or false?
1 William aime Clémence.
2 Jean est sportive, énergique et sympa.
3 Clarisse ne comprend pas.
4 Gilles est gentil.
5 Napoléon déteste Joséphine.

Découvertes

1 **Mots dessinés. À toi!** Picture words. Your turn!

Exemple:

2 **Écris un poème comme ça. Change les mots soulignés.**
Write a poem like this. Change the underlined words.

Exemple: Il est <u>cool</u>, il est <u>petit</u>.
Il a les <u>cheveux gris</u>.

3 **Écoute et lis le rap. Chante et apprends.**
Puis change les mots soulignés.
Listen to and read the rap. Sing along and learn it.
Then change the underlined words.

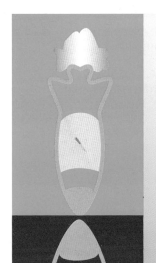

C'est cool! Il est sympa!
C'est cool! Elle aime ça!

<u>Chantal</u> a les <u>yeux bleus</u>,
<u>Yann</u> est <u>paresseux</u>.

C'est cool! Il est sympa!
C'est cool! Elle aime ça!

<u>Flore</u> a les cheveux <u>roux</u>,
<u>Pierre</u> est assez <u>mou</u>.

C'est cool! Il est sympa!
C'est cool! Elle aime ça!

<u>Laure</u> a les <u>yeux gris</u>,
<u>Simon</u> est <u>trop petit</u>.

C'est cool! Elle est sympa!
C'est cool! Il n'aime pas ça!

A Ma famille

In this unit you'll find out how to...

- talk about your family
- talk about your friends
- talk about your pets

1 **Écoute et lis.** Listen and read.

1 **2** **3** **4**

Voici mon père, ma belle-mère, mon demi-frère et ma demi-sœur.

5 **6** **7** **8**

Voici ma mère, mon beau-père, mon frère et ma sœur. Mes parents sont divorcés.

9 **10**

Voici mon grand-père et ma grand-mère.

2 **Recopie les mots. Regarde les dessins de l'activité 1.**
Écris le bon numéro.
Copy out the words. Look at the pictures in activity 1.
Write the correct number.

Exemple: **1** mon demi-frère

ma mère	mon beau-père
ma demi-sœur	mon frère
ma grand-mère	ma belle-mère
mon demi-frère	mon grand-père
ma sœur	mon père

3 **Écoute et lis.**
Listen and read.

> Je m'entends bien avec mes parents. Et toi?

> Je m'entends bien avec mon père et ma belle-mère. Je m'entends bien avec ma mère, mais je ne m'entends pas bien avec mon beau-père.

> Tu t'entends bien avec tes frères et sœurs?

> Oui... mais pas avec ma demi-sœur. Et toi? Tu t'entends bien avec ton frère et ta sœur?

> Moi, je m'entends bien avec mon frère, oui.

 **Comment ça marche** 🔊

These are the words for "my":

mon	père
ma	mère
mes	frères et sœurs

These are the words for "your":

ton	frère
ta	sœur
tes	parents

p.166

> Je m'entends bien avec mes parents.

> Je ne m'entends pas bien avec mon beau-père.

 4 **Ton professeur distribue une fiche. Écoute encore. Remplis le tableau.**
Your teacher will hand out a worksheet. Listen again. Fill in the grid.

 5 **À deux. Parlez.** In pairs. Speak.

Exemple:

A: Tu t'entends bien avec tes parents?
B: Je m'entends bien.../
 Je ne m'entends pas bien... Et toi?
A: Je...

Now you know how to...

• talk about your family:

Voici mon père.
Mes parents sont divorcés.

Je m'entends bien avec...   mon père.
Je ne m'entends pas bien avec...   ma mère.
                                    mon frère, etc.

Et toi?
Tu t'entends bien avec...?
Moi, je...

1 **Écoute et lis.** Listen and read.

C'est ton meilleur copain, Gaël?

Oui, Gaël, c'est un bon copain. Il est un peu fou, mais gentil.

Oui, il est amusant, Gaël.

Ma meilleure copine, c'est Sophie. Elle est très amusante.

Elle est amusante... mais pénible aussi!

Oui, elle est un peu pénible, mais elle est gentille. C'est une bonne copine. Je m'entends bien avec Sophie.

2 **Regarde les mots à droite. Écris deux listes.**
Look at the words on the right. Write two lists.

Exemple:

Gaël	Sophie
ton meilleur copain	ma meilleure copine

très amusante

une bonne copine

gentil

ton meilleur copain

gentille

ma meilleure copine

un peu fou

pénible

un bon copain

amusant

3 **À deux. Changez les noms. Apprenez le dialogue.**
In pairs. Change the names. Learn the dialogue.

Exemple: **A**: C'est ton meilleur copain, Liam?
B: Ma meilleure copine, c'est Amy...

4 **Écoute. C'est Gaël ou Sophie?**
Listen. Is it Gaël or Sophie?

Exemple: **1** Sophie

Comment ça marche

amusant	amusant e
meilleur	meilleur e
bon	bon ne
gentil	gentil le
pénible	pénible

You know that adjectives (describing words) change when they describe a woman or a girl, but they don't all change in the same way.

p.169

 5 **À deux. Parle de ton copain/ta copine.**
In pairs. Talk about your friend.

Exemple: **A**: Mon meilleur copain, c'est...

In English, you use intonation to give more force to what you say. Say the following sentence, with feeling:

It's a friendly school.

In French, you organise the words differently:

Le collège est sympa. (*neutral*)

C'est sympa, le collège. (*more forceful, with feeling*)

How would you say the following sentences in English?

Le prof d'anglais, c'est madame Thomas.

C'est ton meilleur copain, Gaël?

Gaël, c'est un bon copain.

Ma meilleure copine, c'est Sophie.

Now you know how to...

• talk about your friends:

C'est ton meilleur copain, Gaël?	C'est ta meilleure copine, Sophie?
Oui, Gaël, c'est un bon copain.	Oui, Sophie, c'est une bonne copine.
Il est amusant, Gaël.	Elle est amusante, Sophie.
Mon meilleur copain, c'est Gaël.	Ma meilleure copine, c'est Sophie.
Il est très amusant.	Elle est très amusante.
Il est un peu fou, mais gentil.	Elle est amusante, mais pénible aussi!

C Pénible ou sympa?

 1 Écoute et lis.
Listen and read.

> Ils sont sympa, tes parents?

> Oui, ils sont très sympa. Ils sont vraiment gentils.
> Mon père est un peu pénible, mais... oui, ils sont sympa.
> Et toi, tu t'entends bien avec tes parents?

> Non. Mes parents sont divorcés.
> Je ne m'entends pas bien avec ma belle-mère.

> Pourquoi?

> Elle est vraiment pénible.
> Mais mon demi-frère est sympa. On s'entend bien.

> Ah oui? Pas moi.
> Mes frères, Benoît et Philippe, sont très pénibles.
> On ne s'entend pas bien.

 **2 Écoute encore. Mets les
images dans l'ordre.**
Listen again. Put the
pictures in order.

Exemple: d, ...

a

b

c

d

e

Comment ça marche

Il est sympa.   **Ils sont sympa.**

He is nice.   They are nice.

You know that if *several* people are described, the word used to describe them (the adjective) changes (see p. 29). There are exceptions: the word **sympa**, for instance, never changes.

p.169

Il est un peu **fou.** He is a bit mad.

Elle est très **amusante.** She's very funny.

Ils sont vraiment **gentils.** They're really nice.

Words like these slightly change the meaning of the word which follows.

p.169

3 À deux. Regardez les dessins et discutez.

In pairs. Look at the pictures and discuss.

Exemple:

A: Tu t'entends bien avec ta mère?
B: Oui, je m'entends bien avec ma mère./ Oui, on s'entend bien.

ou

B: Non, je ne m'entends pas bien avec ma mère.
A: Pourquoi?
B: Elle est pénible.

(beau-) père   (belle-) mère

(demi-) frère   (demi-) sœur

grand-père et grand-mère

Comment ça marche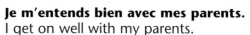

Je m'entends bien avec mes parents.
I get on well with my parents.

Tu t'entends bien avec tes frères et sœurs?
Do you get on well with your brothers and sisters?

On s'entend bien.
We get on well.

On ne s'entend pas bien.
We don't get on well.

You can use **on** to talk about yourself and another person.

 p.162

Now you know how to...

• say how you get on with your family:

On s'entend bien.
On ne s'entend pas bien.

Pourquoi?

| Il | est | sympa. |
| Elle | | pénible. |

Ils sont gentils.

Pas moi.

1 Écoute et lis.
Listen and read.

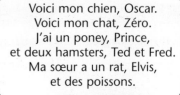

Voici mon chien, Oscar.
Voici mon chat, Zéro.
J'ai un poney, Prince,
et deux hamsters, Ted et Fred.
Ma sœur a un rat, Elvis,
et des poissons.

2 À deux. Qu'est-ce que c'est? Changez de rôle.
In pairs. What is it? Swap roles.

Exemple: **A**: (montre la photo **e**)
              B: Voici mon chat.

a

d

b

e

c

f

3 **Écoute et lis.** Listen and read.

Comment ça marche

le chat de mon frère
my brother's cat

p.166

J'aime le chien
de mon grand-père.

Je n'aime pas
le chat de mon frère.

Ma mère déteste
le rat de ma sœur.

4 **Lis les phrases. Fais un dessin.**
Read the phrases. Do a drawing.

Exemple:
1 les poissons de mon frère

1 les poissons de mon frère
2 le chat de ma mère
3 le poney de mon père
4 le chien de mon grand-père
5 le rat de ma grand-mère
6 le hamster de ma sœur

5 **Prépare et enregistre une cassette pour ton correspondant/ta correspondante. Parle de:**
Prepare and record a cassette for your penfriend.
Talk about:

- **ta famille:**
- your family:

Mon père s'appelle…
J'ai deux sœurs…
Je m'entends bien avec…

- **tes copains:**
- your friends:

Mon meilleur copain/
Ma meilleure copine, c'est…
Il est…/Elle est…

- **tes animaux:**
- your pets:

J'ai un chat…

Now you know how to...

- talk about your pets:

j'ai   un poney
ma sœur a   un rat
              un chien
              un chat
              un hamster

Voici mes poissons/mon chien.

le chien de mon grand-père

1 **a Fais correspondre.** Match.

Exemple: **1** ma mère

mon grand-père
ma mère
mon frère
mon père
ma grand-mère
ma sœur

b À deux. Lancez un dé. In pairs. Throw a dice.

1, 2, 3 = je m'entends bien avec...
4, 5, 6 = je ne m'entends pas bien avec...

Exemple: **A:** [⚂] Je m'entends bien avec ma mère. Et toi?

B: [⚃] Moi, je ne m'entends pas bien avec ma mère.

2 Tu t'entends bien avec ta famille?
À deux. Regardez les mots de l'activité 1.
Faites un dialogue. (Donnez _deux_ raisons.)
Do you get on with your family?
In pairs. Look at the words in activity 1.
(Give _two_ reasons.)

Exemple: **A:** Tu t'entends bien avec ta grand-mère?
B: Oui, on s'entend bien.
A: Pourquoi?
B: Elle est sympa et très gentille.
     Et toi? Tu t'entends bien avec ton père? ...

3 Écoute. Il est comment, François? Elle est comment, Jeanne?
Listen. What is François like? What is Jeanne like?

Exemple:

très amusant	amusante
une bonne copine	vraiment gentil
vraiment sympa	mon meilleur copain
un peu fou	gentille

4 Recopie le tableau. Écoute.
Écris les opinions du garçon et de la
fille sur Félix et Agathe.
Regarde l'exemple.
Copy the table. Listen. Write the boy's
and the girl's opinions on Félix and Agathe.
The first one has been started for you.

	Félix	Agathe
garçon	sympa, ...	
fille		

5 Tu reconnais l'animal? À deux. Do you recognise this pet? In pairs.
Dis: Say:

> J'ai ... Et toi?

Exemple: **A:** (a) J'ai des poissons. Et toi?
  B: (b) J'ai un...

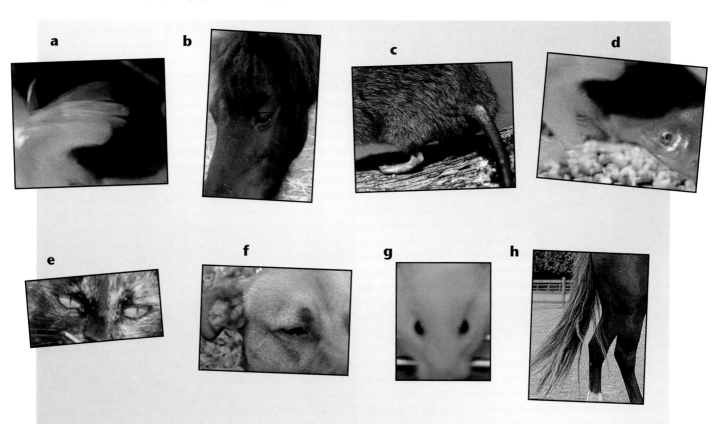

6 Écris une lettre. Décris tes animaux,
les animaux de tes frères et sœurs, etc.
Tu aimes les animaux?
Donne des raisons.
Write a letter. Describe your pets,
your brothers' and sisters' pets, etc.
Do you like the pets?
Give some reasons.

Exemple:

Cher Mathieu
J'ai...
Mon frère a...
J'aime... : il/elle est amusant/amusante...
Je déteste... : il/elle est ennuyeux/ennuyeuse...

Pages lecture

Chère Marie... aide-moi!

Chère Marie

Je ne m'entends pas bien avec mes parents. Ils ne sont pas sympa. Moi, je voudrais des boucles d'oreille et aussi un piercing. Mais ma mère déteste les piercings.

Alexandra

Chère Marie

Mon meilleur copain s'appelle Jérémie. Il est cool, amusant et vraiment gentil. Mais ma mère ne s'entend pas bien avec Jérémie. Pourquoi?

Christophe

Chère Marie

Je n'aime pas le collège. Les profs sont pénibles. Ils sont sévères, ou nuls, ou ennuyeux. Mes copains aussi sont pénibles. Ils sont sportifs, et moi, je n'aime pas le sport.

Thibaud

Chère Marie

Mes parents sont divorcés. Ma belle-mère est sympa, mais je ne m'entends pas bien avec mon beau-père. Il est vraiment pénible. Selon mon beau-père, je suis paresseuse et trop bavarde.

Cathy

Chère Marie

J'ai un problème: je suis trop grande. Regarde la photo: mes copines sont petites, ou de taille moyenne. Mes copains sont de taille moyenne, ou grands. Moi, je suis très grande. C'est pénible.

Elsa

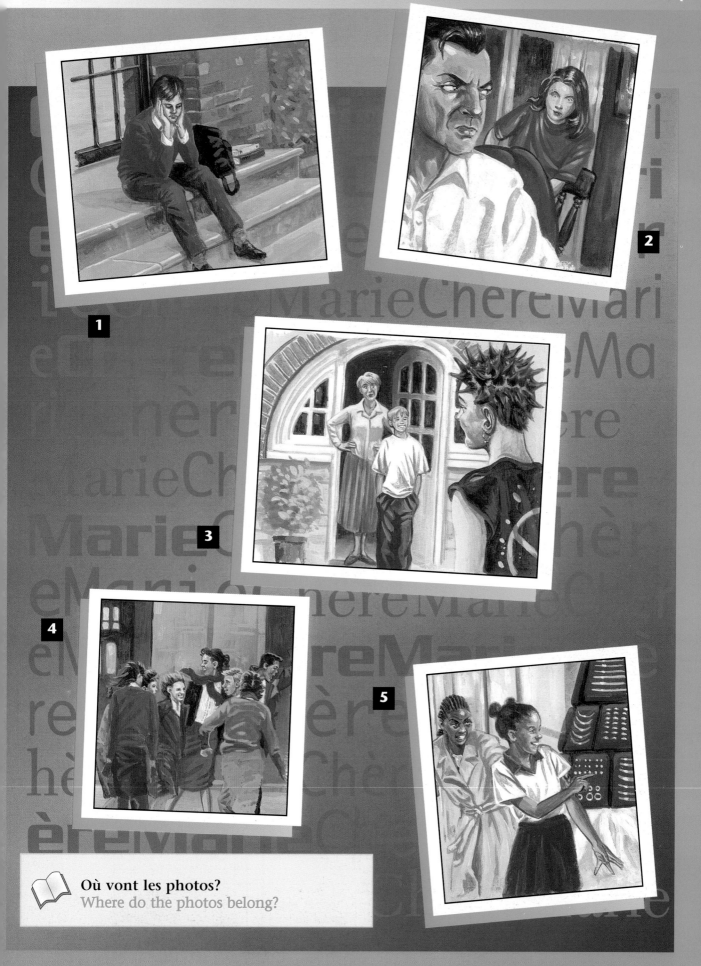

Où vont les photos?
Where do the photos belong?

Découvertes

1 **Ton professeur distribue une fiche. Dessine ton arbre généalogique, ou invente un arbre généalogique.**
Écris les noms dans les cases.
Your teacher will hand out a worksheet. Draw up your family tree, or invent a family tree.
Write the names in the boxes.

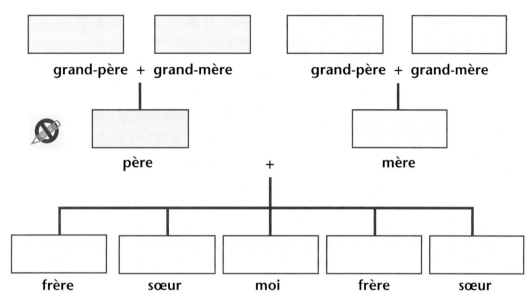

grand-père + grand-mère   grand-père + grand-mère

père   +   mère

frère   sœur   moi   frère   sœur

2 **Ton professeur distribue une autre fiche.**
Regarde les lignes 1–16.
Comment s'appellent les personnes en français ?
Cherche (dans un dictionnaire, par exemple).
Your teacher will hand out another worksheet.
Look at lines 1–16.
What are these people called in French?
Look it up (in a dictionary, for example).

WEBSITES : friends, family, pets

www.photoceans.com
Look at photos of animals from the bottom of the ocean on this website.

perso.infonie.fr/cyril.r
A page for cat lovers.

3 **Comment dit-on en français... ? Cherche.**
What is the French for... ? Look it up.

4 **Regarde les mots de l'activité 3. Écoute et répète.**
Look at the words from activity 3. Listen and repeat.

De jour en jour

In this unit you'll find out how to...
- count from 1 to 25
- say what time it is
- talk about the rooms in your house
- talk about your everyday life

A   Les nombres de un à douze

1 Écoute. Relie les nombres et les mots.
Listen. Match up the numbers and the words.

Exemple: 1 = un

1 2 3 4 5 6 7 8 9 10 11 12

deux   onze   sept   six   douze   trois

neuf   quatre   dix   un   huit   cinq

2 Combien? Écris le bon nombre pour chaque dessin.
How many? Write the correct number for each drawing.

Exemple: **a** = onze

un deux trois quatre cinq six sept huit neuf dix onze douze

a

b

c

d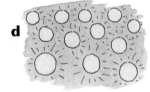

e

f

g

h

i

j

k

l

3 À deux. A choisit un dessin. B dit le bon nombre. Changez de rôle.
In pairs. A picks a picture. B says the correct number. Swap roles.

Exemple: **A**: c   **B**: neuf

4 Dessine et écris un nombre pour chaque dessin.
Draw and write a number for each picture.

Exemple:

quatre

B L'heure

Comment ça marche

il est… à…	midi minuit	
	une heure deux heures trois heures etc.	du matin de l'après-midi du soir

Here's how to tell the time
(exact hours only).

p.170

1 Quelle heure est-il à Paris? Et à Los Angeles?
Écris la bonne heure pour chaque ville.
What time is it in Paris? And in Los Angeles?
Write down the correct time for each town.

Exemple: **1** Paris – il est deux heures
de l'après-midi.

p.m.

Paris

p.m.

Karachi

a.m.

Los Angeles

p.m.

Sydney

2 Marc téléphone à ses amis. Ça va ou ça ne va pas?
Écoute. Écris "oui" ou "non" chaque fois.
Marc is telephoning his friends. Is it OK or not?
Listen. Write **oui** or **non** each time.

Exemple: **1** Oui.

3 À deux. A choisit une horloge.
B dit l'heure. Après, écrivez les heures.
Changez de rôle.
In pairs. **A** picks a clock. **B** says the time.
Afterwards, write down the times. Swap
roles.

Exemple: **1** Il est trois heures
du matin.

1

2

3

4

4 Recopie les phrases. Remplis les blancs. Copy out the sentences. Fill in the gaps.

Exemple: **1** 6 a.m. – il est six heures du <u>matin</u>.

6.00
A.M.

8.00
P.M.

11.00
A.M.

3.00
P.M.

1 Il est six heures
du _____ .

2 Il est _____
heures du soir.

3 Il est _____
heures du matin.

4 Il est _____ heures
de _____ .

1 Écoute et lis.   Listen and read.

Je comprends!

Prêt, partez! = Get set, go!
plus tard = later
dernier = last

Comment ça marche

13	treize
14	quatorze
15	quinze
16	seize
17	dix-sept
18	dix-huit
19	dix-neuf
20	vingt
21	vingt et un
22	vingt-deux
23	vingt-trois
24	vingt-quatre
25	vingt-cinq

These are the numbers from 13 to 25.

p.171

2 Lis encore la bande dessinée à la page 56. Fais des phrases.
Read the picture story on page 56 again. Make sentences.

Exemple: Le numéro quinze part à deux heures et quart.

Le numéro quinze...	part à...	deux heures vingt.
Le numéro seize...		trois heures moins le quart.
Le numéro dix-sept...		deux heures et quart.
Le numéro dix-neuf...		deux heures vingt-cinq.
Le numéro vingt et un...		trois heures moins vingt-cinq.

Comment ça marche

Il est...	une heure...
à...	deux/trois/quatre/cinq (etc.) heures ...

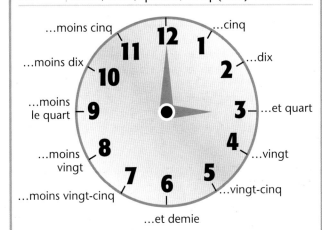

...moins cinq / ...cinq
...moins dix / ...dix
...moins le quart / ...et quart
...moins vingt / ...vingt
...moins vingt-cinq / ...vingt-cinq
...et demie

3 À deux. A dit une heure. Si A dit "plus", B avance de cinq minutes. Si A dit "moins", B recule de cinq minutes. Changez de rôle.
In pairs. A says a time. If A says **plus**, B goes forward five minutes. If A says **moins**, B goes back five minutes. Swap roles.

Exemple: **A:** Dix heures moins vingt-cinq... plus!
B: Dix heures moins vingt.

Here's how you say five past, ten past, quarter past and so on.

p.170

4 Écris l'heure de retour de chaque bateau.
Write the time each boat has to come back.

Exemple: Le numéro neuf: quatre heures vingt.

Now you know how to...

- count from 1 to 25
- tell the time:

treize, quatorze, ... , vingt-quatre, vingt-cinq

il est...	(une) heure...	cinq
à...	(deux) heures...	et quart
		et demie
		moins le quart (etc.)

1 **Écoute et lis.** Listen and read.

1

Balourd, il y a quelles pièces dans la maison?

Au premier étage, il y a deux chambres. Il y a la chambre des enfants et la chambre des parents. Et il y a la salle de bains.

2

Au rez-de-chaussée, il y a la cuisine, le séjour et les toilettes. Tu cherches les magnétoscopes, les ordinateurs et les télés… Compris?

3 Cinq minutes plus tard

Doué… Doué… où es-tu? Il y a un magnétoscope?

Non. Il y a des placards et… un frigo! Aïe!

4

Je suis au premier étage. Ici, il y a des lits et une armoire. Et un balcon.

C'est la chambre des enfants. Au rez-de-chaussée – vite!

5

Allô… allô. Doué, tu es au rez-de-chaussée?

Oui. Il y a une table et des chaises… C'est encore la cuisine.

6

Tu es dans le séjour? Il y a un magnétoscope?

Il y a un fauteuil, un sofa, un magnétoscope, une télé, un ordinateur… et un agent de police!!!

💡 **Je comprends!**

quelles = which
la pièce = the room
compris? = geddit?   **sont** = are
un agent de police = policeman

2 **Lis encore la bande dessinée. Où sont les pièces? Fais deux listes.**
Read the cartoon again. Where are the rooms? Make two lists.

Exemple: Au rez-de-chaussée: la cuisine…
            Au premier étage: …

Comment ça marche

la cuisine	**le** séjour
l'étage	**les** chambres

These words all mean **the** in French. When there is more than one of something you use **les**.

p.166

3 Écoute encore. Mets les pièces dans l'ordre.

Listen again. Put the rooms in the order in which you hear them.

Exemple: c, …

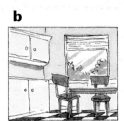

4 C'est quelle pièce? Recopie les phrases. Remplis les blancs.

Which room is it? Copy out the sentences. Fill in the blanks.

Exemple: Dans <u>la</u> <u>cuisine</u> il y a des placards et un <u>frigo</u>.

1 Dans ___ _____ il y a des placards et un frigo.

2 Dans ___ _____ ___ _____ il y a des lits et une armoire.

3 Dans ___ _____ il y a une table et des chaises.

4 Dans ___ _____ il y a un fauteuil, un sofa, un magnétoscope, une télé et un ordinateur.

Comment ça marche

un	magnétoscope
une	télé
des	magnétoscopes

These words mean **a** and **some** in French. You use **des** when there is more than one of something.

p.166

---

5 À deux. A est Doué. Il/Elle décrit la pièce à B.
B dit le nom de la pièce. Changez de rôle.

In pairs. **A** is Doué. He/She describes the room to **B**.
B says the name of the room. Swap roles.

Exemple: **A**: Il y a un frigo.
             B: Tu es dans la cuisine.

6 Décris ta maison.
Si tu veux, dessine un plan.

Describe your house.
If you want, draw a plan of it.

Exemple:

Au rez-de-chaussée, il y a
le séjour, les toilettes et
la cuisine. Dans le séjour
il y a...

Now you know how to...

• describe your house
• say what is in the rooms:

au rez-de-chaussée au premier étage	il y a	la cuisine le séjour les toilettes la salle de bains ma chambre/ la chambre (de...)
dans la cuisine dans le séjour dans la chambre (de...)	il y a	une armoire/une télé une table/une chaise un frigo/un lit

---

1 **Écoute et lis.** Listen and read.

1 Ah non! Lundi. Je me réveille à six heures. Je trouve ça affreux. À six heures et quart, je me lave, et à sept heures moins dix, je prends mon petit déjeuner.

2 À huit heures et quart, je vais à l'école. À neuf heures moins dix, j'ai maths. Ennuyeux!

3 À dix heures vingt-cinq, j'ai anglais. Une langue difficile! Mais à midi, je déjeune. Pas mal!

4 ...et après ça je joue au football. Génial! Mais je déteste l'après-midi! À une heure cinq, j'ai géographie. Abominable!!

5 Et à deux heures dix, j'ai musique. Ennuyeux! Et à trois heures, j'ai informatique. Casse-pieds! JE DÉTESTE LES ORDINATEURS!

6 Mais à quatre heures et demie, je quitte l'école...

Félix? Il est six heures du matin! Aujourd'hui c'est les vacances. Reste au lit...

Je comprends!

les vacances = holidays
reste au lit = stay in bed

2 Regarde les images à droite. Choisis une heure pour chaque image.
Look at the pictures on the right. Pick a time for each picture.

Exemple: **1** = midi

six heures	sept heures moins dix
six heures et quart	huit heures et quart
midi	quatre heures et demie

3 Mets les phrases dans l'ordre pour décrire la matinée de Félix.
Put the sentences in order to describe Félix's morning.

Exemple: Il se réveille...

Il a un cours d'anglais.

Il prend le petit déjeuner.

Il va à l'école.

Il se lave.

Il a un cours de maths.

Il se réveille.

Comment ça marche

je **me** lave

tu **te** laves

il **se** lave

elle **se** lave

on **se** lave

Some verbs (doing words) are used with an extra word like **me**, **te** or **se**. These words mean "myself", "yourself", etc., so in French you actually say I wash *myself* (**je *me* lave**).

p.164

4 À toi de décrire l'après-midi de Félix.
Now it's your turn to describe Félix's afternoon.

Exemple: Il déjeune...

5 À deux. A dit une heure. B dit ce qu'il/elle fait. A prend des notes. Après ça, B fait un jeu-test. Changez de rôle.
In pairs. A says a time. B says what he/she is doing. A takes notes. Afterwards A does a quiz. Swap roles.

Exemple: **A**: Sept heures.   (*Après*)   **B**: Je me réveille à quelle heure?
          B: Je me réveille.   **A**: À sept heures.

6 Positif, négatif ou pas mal? ☺☹☺
Comment est-ce que Félix trouve...?

Positive, negative or not bad? ☺☹☺
What does Félix think of...?

Exemple: l'anglais = ☹

1 ...l'anglais?
2 ...le lundi?
3 ...les maths?
4 ...l'après-midi?
5 ...le déjeuner à l'école?
6 ...le football?
7 ...la géographie?
8 ...l'informatique?

Now you know how to...		
• talk about your daily routine on school days:		
Je me réveille à... heures.	je trouve ça...	affreux
Je me lave.		ennuyeux
Je prends mon petit déjeuner.		génial
Je vais à l'école.		difficile
		pas mal
Je joue au football.		casse-pieds
Je quitte l'école.		

1   **Écoute et lis.**
Listen and read.

1 C'est la belle vie! Sept heures et demie et toujours au lit. Je ne vais pas à l'école.

2 Qu'est-ce que je fais aujourd'hui? Je joue dans ma chambre… et à dix heures, je vais au parc avec mes amis.

3 À midi, je vais à la piscine. Je trouve ça génial! À deux heures, je vais à la patinoire…

Félix!! Félix!!!

4 Lève-toi! Il est presque huit heures! À neuf heures, tu vides le lave-vaisselle…

5 …à dix heures tu passes l'aspirateur, et à midi tu ranges ta chambre.

6 À une heure, tu promènes le chien, et à trois heures, tu travailles dans le jardin. Félix… Félix?

Je me couche. Les vacances, je trouve ça nul!

2   Ce sont les projets de Félix ou les projets de Maman pour Félix?
Écris "Félix" ou "Maman" pour chaque activité.
Are these Félix's or Mum's plans for his day?
Write **Félix** or **Maman** for each activity.

Exemple: **1**   Maman

💡 **Je comprends!**

C'est la belle vie! = This is the life!
Qu'est-ce que je fais? = What'll I do?
Lève-toi! = Get up!
toujours = still   **presque** = nearly

1

2

3

4

Petit truc

Je n'aime **pas** les maths.   🔊 Unité 1 p.17

Je **ne** vais **pas** à l'école.

3 Écris l'heure pour chaque activité.
Write the time for each activity.

Exemple:

1 = 3.00

1 **Il travaille dans le jardin.**
2 **Il vide le lave-vaisselle.**
3 **Il va au parc.**
4 **Il promène le chien.**
5 **Il va à la piscine.**
6 **Il passe l'aspirateur.**

Comment ça marche

je	vais	il	va
tu	vas	elle	va
		on	va

The word for **go** doesn't follow the same pattern as other verbs. This is how to say **I go**, **you go**, etc.

p.164

4 Les projets de Félix. Fais des phrases.
Félix's plans. Make sentences.

Exemple: À sept heures et demie il joue dans sa chambre.

1 À sept heures et demie…   …il va au parc.
2 À dix heures…   …il va à la piscine.
3 À midi…   …il va à la patinoire.
4 À deux heures…   …il joue dans sa chambre.

Comment ça marche

à + la =	à la	**à la** patinoire
à + l' =	à l'	**à l'**école
à + le =	au	**au** parc

This is how you say **to the** with feminine words, masculine words and words that begin with a vowel.

p.167

5 Décris les projets de Maman pour Félix.
Describe Mum's plans for Félix.

Exemple: À neuf heures, il vide le lave-vaisselle…

1 À neuf heures…   3 À une heure…
2 À dix heures…   4 À trois heures…

6 Écris trois choses que tu fais pour aider chez toi.
Write three things you do to help at home.

Exemple: Je passe l'aspirateur.

7 Fais des interviews en classe.
Est-ce que tu trouves quelqu'un qui fait les mêmes choses que toi?
Do interviews in class.
Can you find anyone who does the same things as you?

Exemple:

A: Tu passes l'aspirateur?
B: Non. Tu promènes le chien?
A: Non…

Now you know how to...

• talk about your daily routine on non-school days:

je (ne) vais (pas)…	à l'école/au parc
tu (ne) vas (pas)…	à la piscine/à la patinoire
je joue	dans ma chambre
tu joues	dans ta chambre
je range	ma chambre
tu ranges	ta chambre
je vide/tu vides	le lave-vaisselle
je passe/tu passes	l'aspirateur

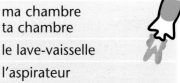

1 **Relie les horloges et les heures.**
Join up the clocks and the times.

Exemple: **1 = c**

1 Il est neuf heures du matin.
2 Il est onze heures du soir.
3 Il est dix heures du matin.
4 Il est huit heures du matin.
5 Il est dix heures du soir.
6 Il est onze heures du matin.

a	*10.00*	☀
b	*11.00*	☀
c	*09.00*	☀
d	*10.00*	🌙
e	*11.00*	🌙
f	*08.00*	☀

2 **Dessine six horloges et écris les heures.**
Draw six clocks and write the times.

Exemple: *Il est dix heures du soir.*

3 **Regarde les horloges et fais des phrases.**
Look at the clocks and make sentences.

Exemple: **1** *Il est trois heures moins dix.*

Il est trois heures…	moins le quart.
Il est cinq heures…	dix.
Il est onze heures…	moins dix.
Il est neuf heures…	et quart.
Il est huit heures…	vingt.
Il est trois heures…	moins vingt-cinq.

4 **Ta classe fait un cross. Écris les résultats.**
Your class is doing a cross-country run. Write the results.

Exemple: *Le numéro deux arrive à trois heures moins dix.*

5 **Quels meubles vont dans quelle pièce?**
(Deux meubles par pièce.)
Which furniture goes in which room?
(Two items per room.)

Exemple: *Dans la cuisine: un frigo, …*

Dans la cuisine
Dans la chambre
Dans le séjour

une télé
un frigo
un placard
un lit
une armoire
un magnétoscope

6 **Dessine et décris une ou deux pièces chez toi.**
Combien de meubles peux-tu écrire pour chaque pièce?
Draw and describe one or two rooms in your house.
How many pieces of furniture can you write down for each room?

Exemple: *Dans ma chambre, il y a un lit…*

7 **Vrai ou faux?** True or false?

Exemple: 1 = *faux*

1 À huit heures, je me réveille.

3 À midi, je déjeune.

2 À neuf heures, je vais à l'école.

4 À trois heures et demie, je quitte l'école.

8 **Décris une journée à l'école. Donne aussi ton opinion.**
Describe a day at school. Give your opinion as well.

Exemple: *À six heures et demie, je me réveille. À six heures et demie!*
Affreux! À sept heures, je prends le petit déjeuner. J'aime ça...

9 **Débrouille les phrases.** Sort out the sentences.

Exemple: *1 À huit heures et demie je travaille dans le jardin.*

1 à dans demie et heures huit jardin je le travaille
2 à chien et heures je le promène quart trois
3 à à dix école heures je l' moins neuf vais
4 à à amis avec des je la midi piscine vais
5 à demie école et heures je l' quitte trois

10 **Décris une journée pendant les vacances.**
Écris des phrases pour dire ce que tu fais comme passe-temps
et ce que tu fais pour aider à la maison.
Donne aussi les heures des activités.
Describe a day in the holidays.
Write sentences to say what leisure activities you do
and what you do to help at home.
Give the times of the activities too.

Exemple: *Je me réveille à huit heures et demie...*

Pages lecture

La maison idéale?

La famille Azéma cherche une nouvelle maison.
Mais quelle maison vont-ils acheter?

Je voudrais une maison avec un ordinateur dans chaque pièce. En plus, dans ma maison idéale il y a une télé dans la cuisine et dans la salle de bains, et des magnétoscopes dans toutes les pièces.

Ma maison idéale n'a pas de cuisine – je mange au restaurant! Il n'y a pas de télés ni d'ordinateurs, et au rez-de-chaussée, il y a une salle de gymnastique et un séjour avec beaucoup de livres.

Dans la maison de mes rêves, il y a une télé énorme dans le séjour, et un frigo à côté du sofa (pour mes boissons fraîches!). Il n'y a pas de jardin (je déteste travailler dans le jardin!) mais il y a un garage magnifique.

Je cherche une maison avec une grande cuisine. Dans la cuisine il y a un frigo, beaucoup de placards – et il n'y a pas de Minou!

Mme Azéma

M. Azéma

Victor (14 ans)

La souris (Jojo)

Je cherche une maison avec un grand jardin, des arbres, une cuisine avec plein de choses à manger – et des chats à poursuivre!

Le chien (Toutou)

Le chat (Minou)

Je cherche une maison avec beaucoup de souris, une cheminée énorme, des fauteuils, des sofas et des lits confortables – et pas d'enfants!

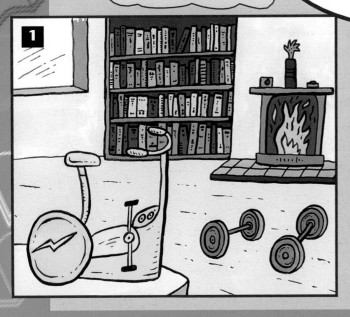

 C'est la maison de qui? Whose house is it?

Exemple: 1 = Mme Azéma

 Vrai ou faux? True or false?

Exemple: 1 = vrai

1 Dans la maison de Jojo, il y a une cuisine et un frigo.
2 Dans la maison de Minou, il y a des lits.
3 Dans la maison de Toutou, il n'y a pas de cuisine.
4 Dans la maison de Victor, il n'y a pas d'ordinateurs.
5 Dans la maison de Mme Azéma, il y a beaucoup d'ordinateurs.
6 Dans la maison de M. Azéma, il y a un grand jardin.

 Choisis a, b ou c. Pick a, b or c.

Exemple: 1 = a

1 Dans la maison de **a** Mme Azéma **b** Minou
  c M. Azéma, il y a une salle de gymnastique.
2 Dans la maison de M. Azéma, il y a **a** une grande
  télé **b** un séjour avec des livres **c** un ordinateur
  dans chaque pièce.
3 Dans la maison de Victor, il y a **a** des lits **b** des
  sofas **c** un magnétoscope dans chaque pièce.
4 Dans la maison de M. Azéma, il y a **a** une cuisine
  b un garage **c** six salles de bains.
5 Dans la maison de Jojo, il y a **a** des placards
  b des télés **c** des ordinateurs.
6 Dans la maison de Toutou, il y a **a** des livres
  b une cuisine et un jardin **c** une télé.

Je comprends!

plein de choses = lots of things
la cheminée = fireplace, chimney
un arbre = tree   **manger** = to eat
lire = to read   **le rêve** = dream
à côté de = next to
les boissons fraîches = cold drinks

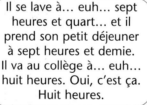

Découvertes

1 **Dessine des chiffres: écris les chiffres en forme de dessin.**
Draw numbers as pictures.

Exemple:

2 **Dessine et décris la maison d'une personne connue.**
Draw and describe a famous person's house.

Exemple: À Graceland, il y a sept séjours...

3 **Écoute. Répète. Apprends une strophe. Peux-tu écrire encore une strophe?**
Listen. Repeat. Learn a verse. Can you write another verse?

C'est la vie

À 5h55 le bébé se réveille.
À 6h00 le bébé se lève.
À 6h05 je me lève.

[*Refrain*]
Le bébé joue,
Le bébé mange,
Le bébé pleure.

À 7h00 je prépare le petit déjeuner.
À 7h05 le bébé mange.
À 7h10 je passe l'aspirateur.

[*Refrain*]

À midi je prépare le déjeuner.
À midi cinq le bébé mange.
À midi dix je passe l'aspirateur.

[*Refrain*]

À 6h00 je prépare le dîner.
À 6h05 le bébé mange.
À 6h10 je passe l'aspirateur.

[*Refrain*]

À 11h00 le bébé va au lit.
À 11h05 je vais au lit.
À 11h10 le bébé se réveille.

[*Refrain*]

Les pays francophones

French is one of the most widely-spoken languages in the world. Do this brief quiz to test your knowledge.

1 What is the official language of the European Parliament?
2 How many countries are there in the world that have French as their first language?
3 Which country in Europe is visited by the largest number of foreign tourists each year?
4 In which European country does the lowest proportion of the population go abroad on holiday?
5 In how many continents is French spoken as a first language?

(Answers are on p.171 – try to answer before you look!)

WEBSITES : house and home/time

www.maison-travaux.fr
Here you can read about DIY ideas for French houses.

ugc.ugc.fr/ugc1/html/0_1.htm
Practise reading the time on the website for the UGC cinema chain.

A   Où habites-tu?

In this unit you'll find out how to...

• say where you live
• say what there is to do
• say whether you like it
• find your way

1 Écoute et lis
Listen and read.

Où habites-tu, Younes?

J'habite à Rabat. C'est une grande ville.

Où habites-tu, Sophie?

J'habite dans une petite ville, La Faute-sur-Mer.

Où habites-tu, William?

Où habites-tu, Hélène?

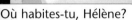

J'habite dans un village.

J'habite à la campagne.

2 Regarde les dessins. Écris. Look at the pictures. Write.

Exemple: **1**   *la campagne*

1 Marie

3 Kévin

2 Benjamin

4 Laure

une grande ville
une petite ville
un village
la campagne

3 À deux. Regardez encore l'activité 2 et parlez.
In pairs. Look back at activity 2 and speak.

Exemple: **1**   **A**: *Où habites-tu, Marie?*
                    B: *J'habite à la campagne.*

4 **Regarde l'activité 2 à la page 70. Recopie et remplis les blancs.**
Look at activity 2 on page 70. Copy out the text and fill in the gaps.

1

> Je m'appelle Benjamin et j'habite dans
> _____ _____ _____ , à Paris.

> Je suis Kévin et j'habite
> _____ un village.

2

> à la campagne
> dans
> petite
> une grande ville

> Moi, j'habite dans
> une _____ ville et
> je m'appelle Laure.

3 **4**

> J'habite _____ _____ _____ ,
> moi. Je suis Marie.

Comment ça marche

J'habite **dans** **un village**.
I live in a village.

J'habite **à** **la campagne**.
I live in the countryside.

With place names, sometimes you
use **dans**, and sometimes you use **à**.
p.167

les **yeux** bleus *but* un **bon** **copain**
une grande **ville**
une petite **ville**

Some describing words (adjectives)
come *before* the thing or person they
describe.
p.169

5 **À deux. Regardez encore l'activité 2.**
Où habite-t-il? Où habite-t-elle?
In pairs. Look back at activity 2.
Where does he live? Where does she live?

Exemple:

A: Où habite Marie?
B: Elle habite à la campagne.
Où habite... ?

6 **Écris une lettre.** Write a letter.

Exemple:

Cher Romain

J'habite à... (J'habite dans...)
Mon meilleur copain/Ma meilleure copine s'appelle...
Il/Elle habite à... (habite dans...)
Mon grand-père/Ma grand-mère...
Et toi, où...

Now you know how to...

• say where you live:

Où habites-tu?

j'habite   à (Rabat)
             à la campagne
             dans une petite ville
             dans un village

C'est une grande ville.

1 **Écoute et lis.** Listen and read.

2 **Fais correspondre les mots et les dessins.**
Match the words and the pictures.

Exemple: **1** *le musée*

1   2   3   4   5

6   7   8   9

le café
la cathédrale
le cinéma
le concert
le magasin
le musée
le parc à thèmes
le port
le sport

3 **À deux. Regardez les dessins et parlez.**
Qu'est-ce qu'il y a à faire?
In pairs. Look at the pictures and talk.
What is there to do?

Exemple: *Paris: il y a des cafés, ...*

Paris

Marseille

Calais

Bordeaux

4 **Chez toi, qu'est-ce qu'il y a à faire?**
Prépare un texte.
Enregistre sur cassette.
What is there to do where you live?
Prepare a text.
Record it on a cassette.

Exemple: *J'habite à Glasgow.*
Chez moi, il y a...

Comment ça marche

On peut	faire du sport.
On peut	visiter le musée.
On peut	se promener.

Use **on peut** to talk about what can be done. In English, you would say "you can".

p.165

chez moi
chez toi

You only need two words to say "where I live", "where you live".

p.167

Now you know how to...

• say what there is to do:

Qu'est-ce qu'il y a à faire chez toi?

Il y a beaucoup de choses à faire.

il y a	des cafés
	des concerts
	des cinémas
on peut faire	les magasins
	du sport
on peut visiter	le parc à thèmes
	le port
	la cathédrale
on peut se promener	

1 Écoute et lis.
Listen and read.

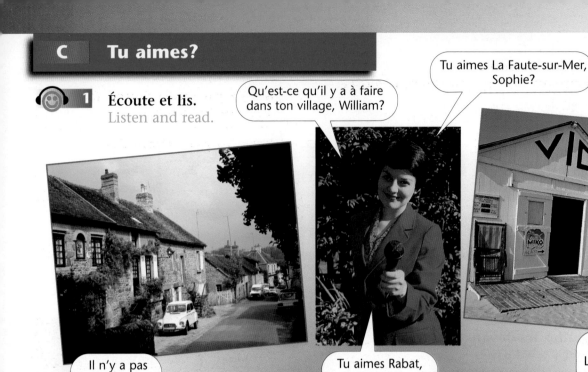

Qu'est-ce qu'il y a à faire dans ton village, William?

Tu aimes La Faute-sur-Mer, Sophie?

Il n'y a pas grand-chose à faire.

Tu aimes Rabat, Younes?

Oui, j'aime bien. La plage est propre, l'air est pur.

Non, je n'aime pas. Il y a trop de circulation. L'air est pollué.

2 Écoute. Qui dit quoi?
Regarde l'exemple.
Recopie et remplis le tableau.
Listen. Who says what?
Look at the example.
Copy out and fill in the grid.

La journaliste	William	Sophie	Younes
1, …		🚫	

3 a Lis encore l'activité 1.
Fais deux listes: les phrases positives et les phrases négatives.
Read activity 1 again.
Make two lists: positive sentences and negative sentences.

Exemple: ☺ Oui, j'aime bien.

b Regarde l'activité 1 à la page 72. Trouve une autre phrase positive.
Look at activity 1 on page 72. Find another positive sentence.

4 À deux. Regardez les dessins.
Dites une chose positive et une chose négative.
In pairs. Look at the pictures.
Say one positive thing and one negative thing.

Exemple: 1 L'air est pur.

Comment ça marche
Il n'y a pas grand-chose à faire. There isn't much to do.
Il y a trop de circulation. There is too much traffic.
p.168

Dictionaries are useful, but must be used with care.
Take a French–English dictionary and look up the word **plage**.

> **plage** [plaʒ] *nf* beach; *(fig)* band, bracket

- [plaʒ]: this tells you how the word is pronounced.
- *nf* = this stands for **nom féminin** and tells you that it is a **la** word.
- beach; band, bracket: many words have several meanings. You have to be very careful to choose the right one.

5 Écris une brochure touristique sur ta ville/ton village.
Écris des choses positives.
Write a tourist leaflet about your town/village.
Write positive things.

6 Regarde l'activité 5.
Parle à un groupe de touristes français.
Dis des choses positives.
Look at activity 5.
Talk to a group of French tourists.
Say positive things.

Now you know how to...
• say whether you like the place where you live:
Qu'est-ce qu'il y a à faire dans ton village? Il n'y a pas grand-chose à faire.
Tu aimes La Faute-sur-Mer? Oui, j'aime bien. La plage est propre. L'air est pur.
Non, je n'aime pas. Il y a trop de circulation. L'air est pollué.

D · Pour aller... ?

 1 **Écoute et lis.** Listen and read.

2 **Écoute. C'est pour le cinéma Lido, ou pour la cathédrale?**
Listen. Is it for the Lido cinema, or for the cathedral?

Exemple: *cinéma Lido: 4, ...*

---

3 **Fais correspondre.** Match.

Exemple: **1** = b

a Allez tout droit.
b C'est à gauche.
c Aux feux, tournez à droite.
d En face de la cathédrale
e À côté du supermarché

Comment ça marche

J'habite **à** Rabat.
J'habite **dans** une petite ville.
Tournez **à** gauche.
C'est **à** droite.
À côté de la plage.

These are some more words to help you talk about position.

Pour aller **au** cinéma Lido? (= à̶ ̶l̶e̶ cinéma)
en face **du** musée (= d̶e̶ ̶l̶e̶ musée)
à côté **du** supermarché (= d̶e̶ ̶l̶e̶ supermarché)
aux feux (= à̶ ̶l̶e̶s̶ feux)

Note what happens to **à** and **de** in front of a **le** or **les** word.

p.167

4 **À deux. Regardez la carte.**
A est le/la touriste, et pose une question.
B répond. Changez de rôle.
In pairs. Look at the map. **A** is the tourist and asks a question. **B** answers. Swap roles.

Questions:

Pour aller au supermarché, s'il vous plaît?
Pour aller à la cathédrale, s'il vous plaît?
Pour aller au cinéma Rex, s'il vous plaît?
Pour aller à la plage, s'il vous plaît?
Pour aller au port, s'il vous plaît?
Pour aller au musée, s'il vous plaît?

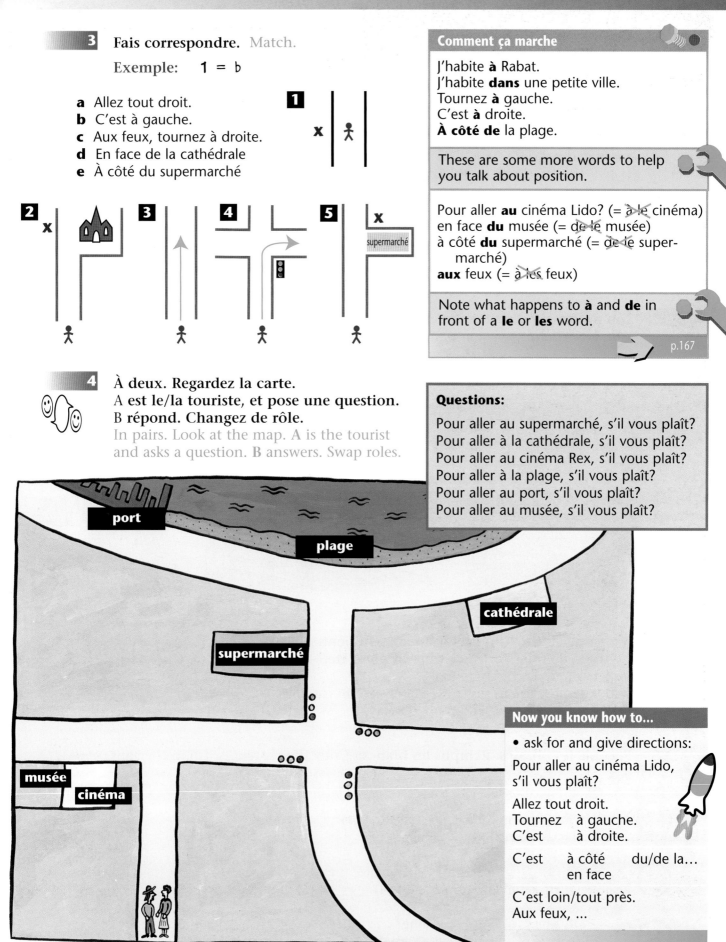

port

plage

cathédrale

supermarché

musée

cinéma

Now you know how to...

• ask for and give directions:

Pour aller au cinéma Lido, s'il vous plaît?

Allez tout droit.
Tournez   à gauche.
C'est   à droite.

C'est   à côté   du/de la…
          en face

C'est loin/tout près.
Aux feux, …

1 Écoute. Combien de ces personnes habitent:
- **dans une grande ville?**
- **dans une petite ville?**
- **dans un village?**
- **à la campagne?**

Listen. How many of these people live:
- in a large town?
- in a small town?
- in a village?
- in the countryside?

grande ville	petite ville	village	campagne
✔, ...		⊘	

2 Ton professeur distribue une fiche. Écoute et remplis le tableau.
Your teacher will give you a worksheet. Listen and fill in the grid.

3 Tu comprends les anagrammes? Écris le mot. C'est quel dessin?
Do you understand the anagrams? Write the word. Which picture is it?

a seumé	**c** cretonc	**e** naicém
b gainsam	**d** chatraledé	**f** gllaive

4 À deux. A dessine trois symboles.
B regarde et dit: "Chez moi, il y a.../On peut..."
Changez de rôle. Parlez de plus en plus vite.
In pairs. A draws three symbols.
B looks and says: "In my area, there is.../You can..."
Swap roles. Talk more and more quickly.

5 Recopie les phrases. Remplis les blancs. Copy the sentences. Fill in the gaps.

Exemple: **1** *village*

– Qu'est-ce qu'il y a à faire dans ton (**1**) _____ , Julie?
– Il n'y a pas (**2**) _____ à faire.

– Tu (**3**) _____ Roc-sur-Mer, Florent?
– Oui, j'aime bien. La plage est (**4**) _____ , (**5**) _____ est pur.

– Tu aimes (**6**) _____ , Jeanne?
– Non, je n'aime pas. Il y a trop de (**7**) _____ . L'air est (**8**) _____ .

aimes
circulation
grand-chose
l'air
Paris
pollué
propre
village

6 Écris une lettre de réclamation.
Write a letter of complaint.

Roc-sur-Mer, le 30 août

Monsieur le maire

À Roc-sur-Mer, il y a…/il n'y a pas…
On peut…/On ne peut pas…
L'air est…

7 À deux. Jouez à pile ou face .

Pile: réponds "C'est près." Face: réponds "C'est loin."
In pairs. Toss a coin.
Tails: answer "It's close." Heads: answer "It's a long way."

Exemple: **A**: Pour aller au cinéma ABC, s'il vous plaît?

B: C'est près.
Pour aller…

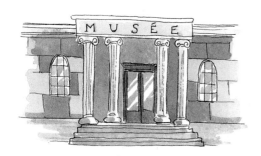

8 À deux. Regardez la carte de l'activité 4 à la page 77.
A choisit un endroit, et explique le chemin.
B devine l'endroit. Changez de rôle.
In pairs. Look at the map in activity 4 on page 77.
A chooses a place, and gives directions.
B guesses the place. Swap roles.

Exemple: **A**: Allez tout droit. Tournez à droite.
Aux feux, tournez à gauche. C'est à gauche.

B: C'est le supermarché!

Pages lecture

1

4

2

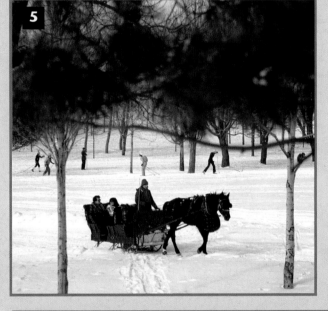

5

3

6

J'habite dans un village en France. Le village s'appelle Ardin. Il y a deux cafés et un magasin. Il n'y a pas grand-chose à faire, mais l'air est pur, et on peut se promener.

a

J'habite aux Sables d'Olonne. C'est une petite ville au bord de la mer. Il y a des cinémas, des magasins, un port, bien sûr, et aussi un musée très intéressant, le musée Sainte-Croix. La plage des Sables d'Olonne est propre et très grande.

b

J'habite à la campagne. L'air est pur, et il n'y a pas de circulation. Mais il n'y a pas grand-chose à faire. C'est ennuyeux.

c

J'habite dans une grande ville, Fort-de-France, à La Martinique. Il y a beaucoup de choses à faire. On peut visiter le port, le Musée départemental ou la cathédrale Saint-Louis.

d

J'habite à Paris. C'est une très grande ville. À Paris, il y a beaucoup, beaucoup de choses à faire. C'est une ville très intéressante. Moi, j'aime faire du roller sous la tour Eiffel.

e

J'habite à Umiujaq, un village du Québec, au Canada. Le village est petit, et il n'y a pas grand-chose à faire, mais l'air est vraiment pur. On peut se promener: c'est super.

f

 Fais correspondre.
Match.

Découvertes

1 Regarde la page 81. Choisis un texte.
Adapte le texte pour ta ville ou ton village.
Tape le texte sur ordinateur. Ajoute une photo.
Look at page 81. Choose a text.
Adapt the text for your town or your village.
Type the text into a computer. Add a photo.

WEBSITES : around town

www.louvre.fr
This is the homepage for the world-famous Louvre museum in Paris, where you can see pictures and sculptures from its huge collection.

www.tour-eiffel.fr
See the view from the top of the Eiffel Tower and read about the history of this famous building!

2 Comment dit-on en français? Cherche.
C'est... "le", "l'" ou "la"?
What is the French for... ? Look it up.
Is it **le**, **l'** or **la**?

1

2

3

4

5

6

3 Regarde les mots de l'activité 2. Écoute et répète.
Look at the words in activity 2. Listen and repeat.

4 Dessine une carte de ta ville. Écris des instructions pour tes amis français.
Draw a map of your town. Write directions for your French friends.

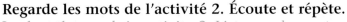

A   Le nouvel emploi du temps

In this unit you'll find out how to...
- talk about school
- talk about your timetable
- give your opinions
- say your age and birthday
- count to 100

1 Écoute et lis.

1

Regarde le nouvel emploi du temps. Je déteste le lundi matin.

Qu'est-ce qu'on a, alors?

2

À 8.15 on a musique et à 9.10 on a sciences, bien sûr...

Et qu'est-ce qu'on a le mardi matin?

3

À 8.15 on a histoire et à 9.10 on a dessin.

Histoire? J'aime ça! Et qu'est-ce qu'on a le jeudi matin?

4

À 10.20 on a allemand... et à 11.15 on a espagnol.

Hmm... allemand et espagnol – pas mal.

5

Et qu'est-ce qu'on a le vendredi après-midi?

À 1.40 on a informatique, et à 2.35 on a technologie... mais ça m'est égal. Aujourd'hui, c'est lundi.

6

Comment? Aujourd'hui, c'est mardi. Le mardi matin à 8.15 on a... histoire, non? Viens...

Je comprends!

nouvel = new
bien sûr = of course
aujourd'hui = today

	lundi	mardi	mercredi	jeudi	vendredi	samedi
8.15 – 9.10	musique	histoire		sport	anglais	histoire
9.10 – 10.05	sciences	dessin		sport	maths	technologie
10.05 – 10.20	récréation	récréation		récréation	récréation	récréation
10.20 – 11.15	français	géographie		allemand	sciences	maths
11.15 – 12.10	maths	français		espagnol	français	français
12.10 – 1.40	déjeuner	déjeuner		déjeuner	déjeuner	
1.40 – 2.35	anglais	informatique		anglais	informatique	
2.35 – 4.30	sciences	maths		français	technologie	

2 Lis encore la bande dessinée. Complète les phrases.

Exemple: **1** = c

1 Le lundi matin à huit heures et quart...   **a** on a espagnol.
2 Le mardi matin à neuf heures dix...   **b** on a dessin.
3 Le jeudi matin à dix heures vingt...   **c** on a musique.
4 Le jeudi matin à onze heures et quart...   **d** on a informatique.
5 Le vendredi après-midi à deux heures moins vingt... **e** on a allemand.

3 Regarde encore l'emploi du temps à la page 84.
C'est quel cours?
Which lesson is it?

Exemple: **1** maths

1 C'est lundi. Il est onze heures et quart.
2 C'est mardi. Il est deux heures moins vingt.
3 C'est jeudi. Il est huit heures et quart.
4 C'est vendredi. Il est dix heures vingt.
5 C'est samedi. Il est onze heures et quart.

4 À deux. Regardez encore l'emploi du temps à la page 84. Parlez.

Exemple: **A**: Le lundi à neuf heures.
           B: Musique.

5 Dessine un emploi du temps idéal – ou un emploi du temps affreux!
Draw up an ideal timetable or an awful one!

Exemple:

	lundi	mardi
8.15 – 9.10	sport	hist
9.10 – 10.05	dessin	mat
10.05 – 10.20	récréation	réc

6 Écris au moins trois phrases sur ton emploi du temps.
Write at least three sentences about your timetable.

Exemple:
Le lundi matin à neuf heures, j'ai maths.

Now you know how to...				
• talk about your timetable:				
le lundi	matin	à 9.15	j'ai	histoire
le mardi		(etc.)		allemand
le mercredi			il a	espagnol
le jeudi				sciences
le vendredi	après-midi		elle a	musique
le samedi				dessin
			on a	technologie (etc.)

B Lucie, François et Ahmed

1 Écoute et lis.

2 Qui dit quoi? Regarde l'exemple.

Je comprends!

presque = almost   **tout** = everything
ton bulletin = your report
va au lit! = go to bed!

Lucie	François	Ahmed
	🚫	1, …

1 Je suis mauvais en langues.
2 Je suis moyen en maths.
3 Je suis bonne en allemand.
4 Je suis bon en géo.
5 Je suis moyenne en histoire.
6 Je suis mauvaise en anglais.

3 Recopie les phrases. Remplis les blancs.

Exemple: 1 *Lucie dit: je suis*
mauvaise en presque tout.

1 Lucie dit: je suis _____ en presque tout.
2 La mère de François dit: tu es _____ en géo.
3 François dit: je suis _____ en presque tout.
4 Ahmed dit: je suis _____ en musique.
5 Lucie dit: je suis _____ en géo.
6 François dit: je suis _____ en anglais.

Petit truc

Moi, je déteste les lunettes. ⟳ Unité 2 p.33

Moi, je suis mauvaise en géo.

4 Combien d'autres phrases peux-tu écrire sur Lucie, Ahmed et François?

Exemple: *Lucie est mauvaise en maths.*

5 Fais des interviews en classe. Prends des notes.

Exemple: **A**: *Tu es bon en histoire?*
B: *Je suis moyen en histoire. Et toi? Tu es bonne en...?*

6 Lis la lettre et réponds aux questions.

Chère Sandra

Tu aimes le collège? Moi, j'aime bien! Je suis bonne en histoire, géo et maths, et j'adore les maths! Je suis moyenne en allemand, français, anglais et sciences, mais je suis mauvaise en informatique, musique et dessin. Je déteste le sport! Et toi? Tu aimes le collège? Tu es bonne en quelles matières?

Amitiés

Florence

Vrai ou faux?

Exemple: 1 *faux*

1 Florence déteste le collège.
2 Florence est bonne en histoire.
3 Elle aime les maths.
4 Elle est moyenne en anglais et sciences.
5 Elle est mauvaise en allemand et français.
6 Elle adore le sport.

Now you know how to...

• say which subjects you are good and bad at:

je suis	bon/bonne	en anglais
tu es	moyen/moyenne	en maths
il est	mauvais	en informatique
elle est	mauvaise	en dessin

1 Écoute et lis.

2 Qui dit quoi?

Exemple: **1** Camille

1 L'anglais, c'est difficile, mais c'est super!
2 L'anglais, c'est pas marrant, mais c'est facile!
3 L'anglais, c'est difficile, mais c'est chouette!
4 L'anglais, c'est ennuyeux, mais c'est facile.

Petit truc

Elle est sympa, **mais** assez paresseuse.   Unité 2 p.30

L'anglais, c'est difficile, **mais** c'est utile.

3 Pourquoi est-ce que... ? Why does... ?

Exemple: **1** = d

1 ...Fatima trouve l'anglais facile?
2 ...Victor aime l'anglais?
3 ...Max trouve l'anglais chouette?
4 ...Camille trouve l'anglais super?

a Parce que c'est utile, et il aime le prof!
b Parce que c'est facile, et il aime le prof!
c Parce que c'est intéressant, et elle aime le prof!
d Parce qu'il y a peu de devoirs, et elle aime le prof!

4 À deux. Jeu de contradictions.

Exemple: A: Les maths, c'est intéressant...
           B: ...mais c'est difficile.

We have different ways of talking to different people. For example, you might say to your mum "all right, keep your hair on", but you probably wouldn't say this to your teacher! The use of the right kind of language in different situations is called **register**.

C'est pas marrant is an example of this – it's quite slangy, and a student wouldn't say it to his or her teacher. See if you can find some other examples of this register in unit 6 (the best place to look is towards the end).

5 Fais des interviews en classe.

Exemple: A: Tu aimes les maths?
           B: Oui.
           A: Pourquoi?
           B: Parce que c'est utile.

6 Écris trois phrases sur les cours. Tu aimes? Tu n'aimes pas? Dis pourquoi.

Exemple:

J'aime l'anglais parce que c'est utile...

Now you know how to...

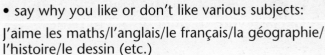

• say why you like or don't like various subjects:

J'aime les maths/l'anglais/le français/la géographie/ l'histoire/le dessin (etc.)

Les maths,	c'est	difficile	mais c'est	super
L'anglais,		fatigant		chouette
(etc.)		ennuyeux		cool
		pas marrant		facile
				utile

Pourquoi c'est super/chouette/cool/facile (etc.)?

| Parce que | c'est intéressant |
| | j'aime le prof |

| Parce qu' | il y a peu de devoirs |

1 Écoute et lis. Essaie d'expliquer la réponse de Félix dans la dernière case.
Try to explain Felix's answer in the last picture.

Comment ça marche

Les mois
janvier
février
mars
avril
mai
juin
juillet
août
septembre
octobre
novembre
décembre

Les nombres de 24 à 31

24	vingt-quatre
25	vingt-cinq
26	vingt-six
27	vingt-sept
28	vingt-huit
29	vingt-neuf
30	trente
31	trente et un

p.171

 2 Écoute. C'est qui?

Exemple: **a** Philippe

 3 Sondage. Trouve la date de l'anniversaire de tes copains/copines. Puis fais un jeu avec la classe. Dis l'anniversaire de quelqu'un. La classe doit deviner de qui tu parles.

Survey. Find out the birthday dates of your friends. Then play a game with the class. Say the birthday of someone. The class has to guess who you're talking about.

Exemple:

A: C'est quand, ton anniversaire?
B: Mon anniversaire, c'est le 15 août.

(Jeu)

A: Son anniversaire est le 15 août.
La classe: C'est…!

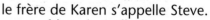 **Comment ça marche**

le frère de Karen s'appelle Steve.
→ **son** frère s'appelle Steve.

la sœur de Steve s'appelle Karen.
→ **sa** sœur s'appelle Karen.

les chiens de Steve s'appellent Fido et Rover.
→ **ses** chiens s'appellent Fido et Rover.

Usually the words for **his** and **her** are **son** if the noun which follows is masculine, **sa** if it's feminine, and **ses** if it's in the plural.

p.166

E Jeux, jeux, jeux!

1 Fais des jeux pour apprendre ces chiffres! Ton professeur distribue une fiche.

31	32	33	34	35	36	37	38	39	40
41	42	43	44	45	46	47	48	49	50
51	52	53	54	55	56	57	58	59	60
61	62	63	64	65	66	67	68	69	70
71	72	73	74	75	76	77	78	79	80
81	82	83	84	85	86	87	88	89	90
91	92	93	94	95	96	97	98	99	100

Comment ça marche

trente et un trente-deux (etc.)	cinquante cinquante et un cinquante-deux (etc.)	soixante-dix soixante et onze soixante-douze soixante-treize soixante-quatorze soixante-quinze soixante-seize soixante-dix-sept soixante-dix-huit soixante-dix-neuf	quatre-vingts quatre-vingt-un quatre-vingt-deux quatre-vingt-trois quatre-vingt-quatre quatre-vingt-cinq quatre-vingt-six quatre-vingt-sept quatre-vingt-huit quatre-vingt-neuf	quatre-vingt-dix quatre-vingt-onze quatre-vingt-douze quatre-vingt-treize quatre-vingt-quatorze quatre-vingt-quinze quatre-vingt-seize quatre-vingt-dix-sept quatre-vingt-dix-huit quatre-vingt-dix-neuf
quarante quarante et un quarante-deux (etc.)	soixante soixante et un soixante-deux (etc.)			cent

p.171

1 Écoute et lis.

Plus tard

Je comprends!

avec toi = with you
en Angleterre = in England
À quelle heure? = At what time?
Tu as de la chance! = You're lucky!

2 **Vrai ou faux?**

Exemple:
1 vrai

1 Aujourd'hui Simon vient à l'école avec Benoît.
2 Benoît part pour l'école à sept heures.
3 Simon part pour l'école à huit heures et demie.
4 Simon revient de l'école à trois heures et demie.
5 Le samedi, Benoît sort à midi.

3 Quelles phrases sont utiles dans la classe?
Which of these sentences are useful in the classroom?

Exemple: 1, …

1 Je peux sortir, s'il vous plaît?
2 Le samedi, je sors à midi.
3 Non. Reste à ta place.
4 Je n'ai pas mon livre.
5 Tu as de la chance.
6 À quelle heure pars-tu?

Comment ça marche

Je pars pour l'école à huit heures.
Tu sors à midi.
Il part pour l'école à neuf heures.
Elle sort à quatre heures.
On revient à cinq heures.

These verbs, which are all to do with coming and going, all follow the same pattern, but they are slightly different from the other ones you have learnt so far.

p.164

4 À deux. A dit une phrase à B. C'est une phrase utile dans la classe?
Si oui, B répond. Si non, B dit "Pardon?"
Qui fait une erreur, perd!
(Whoever makes the first mistake, loses!)

Exemple: **A**: Travaille avec Paul.
B: Oui.
A: Tu habites à Norwich?
B: Pardon?

5 Relie les questions et les réponses.

Exemple: 1 = d

1 Tu viens à l'école avec moi aujourd'hui?
2 À quelle heure sors-tu le samedi?
3 À quelle heure pars-tu le lundi?
4 À quelle heure reviens-tu le mardi?
5 À quelle heure part-on pour l'école en France?

a En France, on part pour l'école à huit heures.
b Le lundi, je pars à huit heures et quart.
c Je n'ai pas d'école le samedi.
d Oui, je viens avec toi aujourd'hui.
e Le mardi, je reviens à quatre heures.

Now you know how to...

• talk about when you go to school and come home
• use some more classroom phrases:

Aujourd'hui je viens à l'école.
À quelle heure pars-tu?
Je pars à huit heures.
À quelle heure reviens-tu?
Je reviens à quatre heures.
Je sors à midi.

Je peux sortir, s'il vous plaît?
Non. Reste à ta place.
Je n'ai pas mon livre.
Travaille avec Simon.
Je n'ai pas fait mes devoirs.

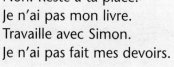

1 Écris les jours de la semaine dans l'ordre (sans regarder dans ton livre!).
Write down the days of the week in the right order (without looking in your book!).

Exemple: lundi, …

2 Décris ta semaine à l'école. Parle de trois jours au moins.

Exemple: Le lundi matin à neuf heures et quart, j'ai dessin…

3 Fais une liste des matières que tu étudies (au moins six).
Make a list of at least six of your school subjects.

Exemple: maths, …

4 Écris une lettre et parle des matières que tu étudies. En quelles matières es-tu bon/bonne ou mauvais/mauvaise? Sers-toi de la lettre à la page 87, si tu veux.
Use the letter on page 87 if you like.

Exemple:

> Cher Benjamin (Chère Anne)
>
> Moi, j'aime le collège. Je suis bonne en…
>
> …
>
> Amitiés
>
> Holly (Steve)

5 Donne ton opinion sur trois matières.
Give your opinion of three subjects.

Exemple: L'anglais, c'est super!

6 Donne ton opinion sur cinq matières. Donne tes raisons.

Exemple: L'anglais, c'est super parce que j'aime le prof.

7 Choisis une phrase pour chaque personne.

Exemple: **1** = e

a 24 déc.　　**b** 09 fév.　　**c** 17 sept.　　**d** 29 jan.　　**e** 27 nov.　　**f** 30 oct.

1 Son anniversaire, c'est le vingt-sept novembre.
2 Son anniversaire, c'est le neuf février.
3 Son anniversaire, c'est le dix-sept septembre.
4 Son anniversaire, c'est le vingt-quatre décembre.
5 Son anniversaire, c'est le trente octobre.
6 Son anniversaire, c'est le vingt-neuf janvier.

8 Fais des recherches sur l'anniversaire de cinq personnes et écris une phrase pour chaque personne.

Find out the birthdays of five people and write one sentence for each person.

Exemple: Son anniversaire, c'est le vingt octobre.

9 Écris ces chiffres correctement.

Exemple: dix-sept

17   29   35   46   58   63

10 Dessine et décris des objets.
Dis combien d'objets il y a chaque fois.

Say how many objects there are each time.

Exemple: Il y a trente-quatre poissons.

11 Recopie et écris les heures et les matières.
Regarde l'exemple.

Exemple:

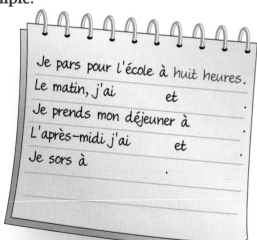

Je pars pour l'école à huit heures.
Le matin, j'ai   et
Je prends mon déjeuner à   .
L'après-midi j'ai   et
Je sors à   .

WEBSITES : school, daily routine

users.skynet.be/saintjoseph.chimay
The website for the Collège Saint-Joseph in Chimay, Belgium.

clg-lucie-faure.scola.ac-paris.fr
The homepage for the Collège Lucie Faure in Paris.

12 Écris trois ou quatre phrases pour décrire ta semaine à l'école.

Exemple: Le lundi et le mardi,
je pars à huit heures...

Pages lecture

Invention de la semaine

Les lunettes bi-directionnelles:

Essentielles pour les bons profs!
Avec les lunettes bi-directionnelles,
le prof travaille et regarde
la classe en même temps.

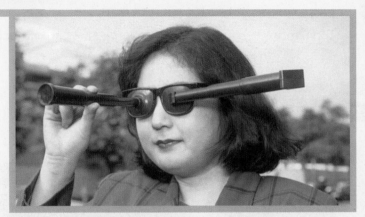

Le savais-tu?

En France, il n'y a pas...

✪ d'uniforme scolaire
✪ de cours de religion (c'est interdit!)
✪ de cours le mercredi après-midi
✪ d'assemblée d'élèves avant les cours

... mais il y a des cours le samedi matin!

La page de nos lecteurs

Chère Tante Nicole

Aidez-moi — s'il vous plaît! J'ai un
problème — je déteste le collège!
Le lundi, je pars pour le collège à
sept heures et demie et je déteste ça!
Puis j'ai des cours toute la journée.
À neuf heures j'ai anglais — c'est
utile, mais très, très ennuyeux!
À onze heures j'ai sciences — c'est
difficile et ennuyeux! L'après-midi
j'ai sport, et je trouve ça ennuyeux —
et fatigant aussi! Le soir, j'ai trop
de devoirs!

Qu'est-ce que je dois
faire?

Blanche

Chère Blanche

Bon courage! Pars pour l'école à sept
heures! Fais tes devoirs! Apprends à aimer
le collège!

Tante Nicole

Je comprends!

la semaine = week
bi-directionnelles = able to look in two directions at once
en même temps = at the same time
Le savais-tu? = Did you know?
il n'y a pas de = there aren't any
interdit = forbidden
l'assemblée d'élèves avant les cours = assembly
Bon courage! = Be brave!

Choisis a, b ou c.

Exemple: 1 = a

1 Les lunettes bi-directionnelles sont pour
  a les profs
  b les élèves
  c les parents.
2 Avec les lunettes bi-directionnelles,
  a la classe regarde les parents
  b la classe travaille et regarde le prof
  c le prof travaille et regarde la classe.
3 Les lunettes bi-directionnelles sont pour
  a les mauvais profs
  b les bons profs
  c les élèves.

Vrai ou faux?

Exemple: 1 faux

1 En France, l'uniforme scolaire est obligatoire.
2 On a des cours le mercredi matin.
3 On a religion le lundi.
4 On a une assemblée d'élèves le lundi, le mardi et le jeudi.
5 On a des cours le samedi matin.

Lis la lettre de Blanche à Tante Nicole, et la réponse de Tante Nicole. Réponds aux questions.

Exemple: 1 Non, elle n'aime pas le collège.

1 Blanche aime le collège?
2 Le lundi, elle part pour le collège à quelle heure?
3 Elle a quel cours à neuf heures?
4 Elle trouve l'anglais comment?
5 Elle aime les sciences?
6 Elle trouve le sport comment?
7 Elle a peu de devoirs?

Découvertes

1 Graffiti! Dessine un tableau de graffiti. Design a graffiti panel.

Exemple:

2 Écris un poème comme ça.
Change les mots soulignés.

Exemple:

Les sciences, c'est ennuyeux.
Je trouve le lundi affreux!

3 Écoute et apprends la chanson. Écoute encore et chante.
Écris encore une strophe. Write another verse.

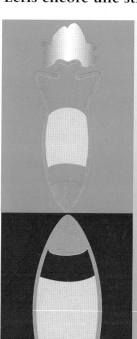

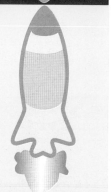

C'est lundi, c'est lundi
Aujourd'hui, non, on a maths!
C'est lundi, c'est lundi
Moi, je reste au lit!

C'est mardi, c'est mardi
Aujourd'hui on a sciences!
C'est mardi, c'est mardi
Moi, je reste au lit!

C'est mercredi, c'est mercredi
Aujourd'hui on a anglais!
C'est mercredi, c'est mercredi
Moi, je reste au lit!

C'est jeudi, c'est jeudi
Aujourd'hui on a français!
C'est jeudi, c'est jeudi
Moi, je reste au lit!

C'est vendredi, c'est vendredi
Aujourd'hui, oui, on a sport!
C'est vendredi, c'est vendredi
Allons au collège!

A Moi, j'aime...

In this unit you'll find out how to...
- talk about what you do after school
- suggest an activity; accept/refuse an invitation to do something
- say what you haven't got in class
- talk about what other people like to do
- talk about the weather
- ask more questions

 1 Écoute et lis.

Moi, j'aime...

Moi, j'aime...

1 regarder la télé

2 lire

3 jouer au foot

4 faire du vélo

5 jouer au tennis

6 jouer avec l'ordinateur

7 regarder des vidéos

8 écouter de la musique

9 faire du skate

10 jouer du piano

11 aller à la piscine

12 faire de la danse

13 être avec mes copains

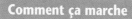

2 Écoute. Écris le numéro des activités.

Exemple: 8, …

pp.167–168

Comment ça marche

regarder **la** télé	écouter **de la** musique
	jouer **du** piano
	regarder **des** vidéos
jouer **au** foot	
jouer **avec** l'ordinateur	

Phrases to describe your hobbies are formed in a number of different ways. These are a few useful ones.

3 À deux. Décrivez les dessins.

Exemple:

A: Elle aime jouer du piano, …

4 Regarde les dessins de l'activité 3. Écris des phrases.

5 À deux. Parlez.

Exemple: **A**: Moi, j'aime jouer au tennis. Et toi?
B: Moi, j'aime…

Now you know how to...

• talk about what you like to do after school:

jouer	au foot	regarder	la télé
	au tennis		des vidéos
	du piano		
	avec l'ordinateur	lire	
		écouter de la musique	
faire	du vélo	aller à la piscine	
	du skate	être avec mes copains	
	de la danse		

1 Écoute et lis.

2 Que disent les élèves? Vrai ou faux?

Exemple: 1 = *faux*

1 Le mercredi,
je fais du vélo.

2 Le soir, je joue au foot.

3 Le samedi après-midi, je vais à la piscine.

4 Après les cours,
on regarde la télé!

3 Ton professeur distribue une fiche.
Regarde la page 102.
Écris les activités des élèves sur le calendrier.

4 À deux. Parlez. A dit le nom d'une personne célèbre.
B dit: "Il/Elle…" Changez de rôle.

Exemple: **A**: *Michael Owen.*
B: *Il joue au foot.*

5 À deux. Parle de tes activités.

Exemple:

A: *Qu'est-ce que tu fais le soir?*
B: *Je vais à la piscine. Et toi?*
A: *Moi, je fais…*

Petit truc

J'aime le collège.	⤶ Unité 1, p.12
J'aime les boucles d'oreille.	⤶ Unité 2, p.32
J'aime le prof.	⤶ Unité 6, p.88

J'aime lire.

Comment ça marche

You have now seen three parts of the verb **faire** (to do):

je fais du vélo
tu fais du vélo
il/elle fait du vélo

Other types of verbs have different endings too. Here are three patterns:

jouer to play
je joue au foot
tu joues au foot
il/elle joue au foot

aller to go
je vais à la piscine
tu vas à la piscine
il/elle va à la piscine

lire to read
je lis
tu lis
il/elle lit

pp.163–164

Now you know how to…

• give more details about what you do after school:

Qu'est-ce que tu fais après les cours?
le mercredi?
le soir?
le week-end?
le samedi après-midi?

Je fais du vélo.	Il/Elle fait du vélo.
Je joue au foot.	Il/Elle joue au foot.
Je lis.	Il/Elle lit.
J'écoute de la musique.	Il/Elle écoute de la musique.
Je vais à la piscine.	Il/Elle va à la piscine.

On regarde la télé.

1 Écoute et lis.

2 Qui accepte, qui refuse?
Fais deux listes.

Exemple:

Accepte	Refuse
2, …	

3 Écoute. Qui dit quoi?
Écris les lettres a–k.
Écris le bon numéro.

Exemple: **a** = 8

D   En classe

  1 Écoute et lis.

Je n'ai pas de crayon.

Je n'ai pas de stylo.

Je n'ai pas de gomme.

Je n'ai pas de classeur.

Je n'ai pas de dé.

Je n'ai pas de pièce.

Il n'y a pas d'ordinateur.

Il n'y a pas de clavier.

Il n'y a pas de souris.

Il n'y a pas de disquette.

Il n'y a pas d'imprimante.

Il n'y a pas de papier.

 le dé

le crayon

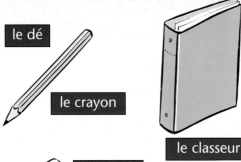 le classeur

la gomme

 la pièce

 le stylo

l'ordinateur

l'imprimante

le papier

le clavier

la souris

la disquette

Comment ça marche

On pourrait aller à la piscine, samedi ?

Shall we go to the swimming pool on Saturday ?

Le samedi , il va à la piscine.

On Saturdays , he goes to the swimming pool.

p.170

2 À deux. Parlez. A montre un objet.
B dit: "Je n'ai pas de…" ou "Il n'y a pas de…" Changez de rôle.

Exemple:

A:

B: Je n'ai pas de crayon.

Petit truc

To ask a question, remember you can simply raise your voice at the end of an ordinary sentence.

Elle aime le sport? 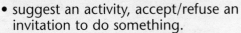 Unité 1, p.17

On pourrait jouer au tennis, dimanche après-midi?

Now you know how to…

• suggest an activity, accept/refuse an invitation to do something.
• say what you haven't got in class.

On pourrait…   Je préfère…
Je voudrais…
                      Non, merci.
D'accord.   Non, je déteste…
J'adore…
Oui, j'aime bien…

Je n'ai pas de crayon/de stylo/de gomme/
de classeur/de dé/de pièce.
Il n'y a pas d'ordinateur/de clavier/de souris/
de disquette/d'imprimante/de papier.

1 Écoute et lis.

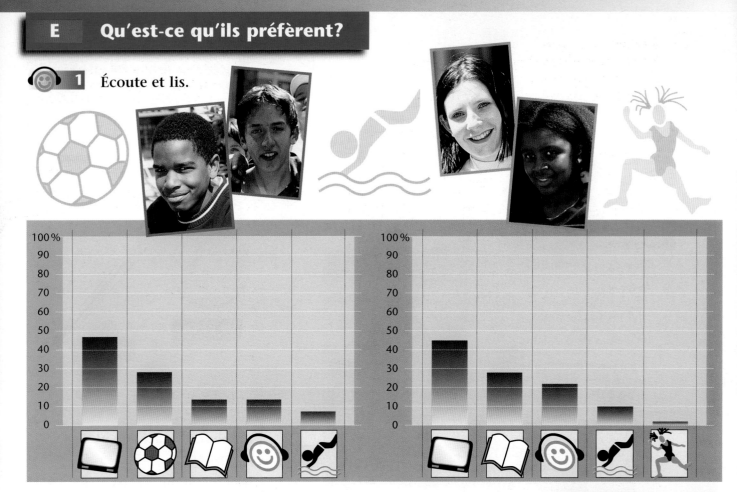

Qu'est-ce qu'ils font après les cours?

les garçons	les filles
Ils regardent la télé. (47%)	Elles regardent la télé. (45%)
Ils jouent au foot. (29%)	Elles lisent. (28%)
Ils lisent. (14%)	Elles écoutent de la musique. (22%)
Ils écoutent de la musique. (14%)	Elles vont à la piscine. (10%)
Ils vont à la piscine. (8%)	Elles font de la danse. (2%)

L'activité préférée des garçons **et** des filles: ils regardent la télé.

2 En France, c'est différent! Écris les phrases.

Exemple: **les garçons**   **1** Ils jouent au foot.

les garçons
1
2
3
4
5

les filles
1
2
3
4
5

3 Regarde les mots.
Écris deux phrases pour les garçons,
deux phrases pour les filles.
Ensuite, écris les phrases en anglais.

piscine	de	ils	danse
regardent	des	elles
la	l'ordinateur	la	font
vidéos	ils	à	jouent
elles	vont	avec

 4 Écoute.
Que font les filles? Que font les garçons?
Écris le numéro dans la bonne colonne.
Regarde l'exemple.

Exemple:

😊😊	😊😊
2, …	

5 Écris les activités des garçons et des filles de
ta classe.
Fais deux paragraphes: **les garçons** et **les filles**.

Petit truc

Je vais à l'école. Unité 4, p.60
Je vais au parc. Unité 4, p.62

Je vais à la piscine.

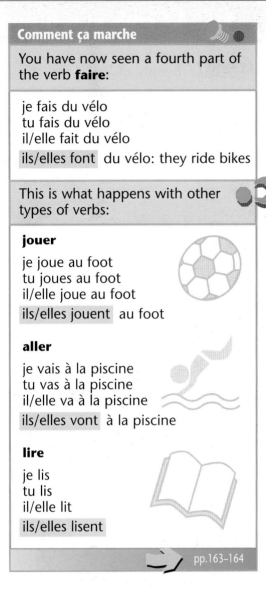

Comment ça marche

You have now seen a fourth part of
the verb **faire**:

je fais du vélo
tu fais du vélo
il/elle fait du vélo
ils/elles font du vélo: they ride bikes

This is what happens with other
types of verbs:

jouer
je joue au foot
tu joues au foot
il/elle joue au foot
ils/elles jouent au foot

aller
je vais à la piscine
tu vas à la piscine
il/elle va à la piscine
ils/elles vont à la piscine

lire
je lis
tu lis
il/elle lit
ils/elles lisent

pp.163–164

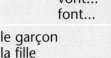

Now you know how to...

• talk about what other
people like to do:

ils/elles jouent...
écoutent...
regardent ...
lisent...
vont...
font...

le garçon
la fille

1   Écoute et lis.

Je comprends!

Ça m'est égal. = It's all the same to me.

D'accord. = OK

2 Fais correspondre.

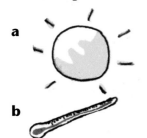

a

b

c

d

Il fait chaud.
Il fait froid.
Il fait beau.
Il pleut.

Comment ça marche

Il fait beau.

Il fait chaud.

Il fait froid.

You usually use **il fait** to talk about the weather.

p.164

3 Écoute. Fais correspondre les numéros et les symboles de l'activité 2.

Exemple: **1** = d

G Questions

1 Écoute et lis.

Qu'est-ce que tu fais le week-end?

Je fais du sport.

Où fais-tu du sport?

Je vais au centre sportif, ou à la piscine. Quelquefois, je vais à la patinoire.

Avec qui fais-tu du sport?

Avec des copines.

Quand fais-tu tes devoirs, alors?

Le vendredi soir, ou le lundi matin dans le bus!

Que disent tes parents?

Ils sont contents: mes parents aussi aiment beaucoup le sport.

2 Recopie les phrases et remplis les blancs.

1 – Qu'est-ce que tu fais le mercredi ?
– J'écoute de la musique.

2 – Où écoutes-tu _____?
– Chez moi, _____ .

3 – _____ écoutes-tu de la musique?
– Avec des copains, ou tout seul.

4 – Quand promènes-tu le chien?
– Le soir … _____ .

5 – _____ le chien?
I – I n'est pas très _____ .

Avec qui

content

dans ma chambre

de la musique

le mercredi

Que dit

quelquefois

Now you know how to...

• talk about the weather:

Il fait beau.
Il fait chaud.
Il pleut.
Il fait froid.

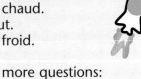

• ask more questions:

Qu'est-ce que… ?
Où… ?
(Avec) qui… ?
Quand… ?
Que… ?

1 Déchiffre les anagrammes. Choisis le bon dessin.

Exemple: **1** = d

1 faire de la nasde   **2** jouer du aipon   **3** regarder des doivés

4 jouer avec l' troidraune   **5** aller à la speinci   **6** écouter de la quimeus

a    c    e

b    d    f

2 Écris des phrases.
Ajoute un symbole: ou

Exemple: Après les cours, il fait du vélo.

Après les cours, elle fait du vélo.

après les cours
le soir
le mercredi
le samedi après-midi
le week-end

3 Regarde l'activité 2.
Écris des phrases pour toi et pour ton frère, ton meilleur copain,
ta sœur, ta meilleure copine, etc.

Exemple: Après les cours, je joue au foot,
mais mon meilleur copain écoute de la musique.

4 Relie les phrases.

Exemple: **1** = b

1 On pourrait écouter de la musique?

2 On pourrait jouer au tennis?

3 On pourrait aller à la piscine?

4 On pourrait regarder la télé?

a J'aime bien aller à la piscine, mais je préfère regarder la télé.

b J'aime bien la musique, mais je préfère aller à la piscine.

c Oui, d'accord. J'adore le tennis.

d Ah, non, je déteste la télé.

5 Trouve six objets dans la classe: un crayon, un stylo, une gomme, un classeur, un dé, une pièce.
A **prend** un objet. B **dit:** "Je n'ai pas de..."

Exemple: **A**: (prend le crayon)
            B: Je n'ai pas de crayon.

WEBSITES : after school activities

www.apreslecole.fr
This is a web magazine on after-school activities.

www.cfoot.com
Read about football news from France here!

www.asterix.tm.fr
The official website for France's most famous cartoon hero.

6 Lis les phrases.
Recopie les numéros et dessine le bon symbole.

Exemple: 1 ![symbole]

1 Il aime lire.
2 Ils jouent au foot.
3 Elles regardent la télé.
4 Il va à la piscine.

5 Elles font du skate.
6 Elle fait du vélo.
7 Ils écoutent de la musique.
8 Elle joue du piano.

il   elle
ils   elles

7 Lis les phrases. Remplace Il/Elle/Ils/Elles (les pronoms) par des noms.
Remplace les noms par des pronoms.
Read the sentences. Replace **Il/Elle/Ils/Elles** (pronouns) with names.
Replace the names with pronouns.

Exemple: 1 Ils jouent au foot.

            3 Tariq et Fatia aiment faire de la danse?

1 Mes frères jouent au foot.
2 Élodie préfère lire.
3 Ils aiment faire de la danse?
4 Christophe déteste aller à la piscine.
5 Louise et Claire jouent du piano.

6 Ma sœur adore le skate.
7 Alexandre et Christelle écoutent de la musique.
8 Elles jouent avec l'ordinateur.
9 Il adore faire du vélo.
10 Mes parents aiment bien regarder des vidéos.

8 Fais correspondre les phrases et les dessins.

Il fait beau.
Il fait chaud.
Il fait froid.
Il pleut.

1    2    3    4

9 Regarde l'activité 8. Écris une phrase pour chaque dessin.

Exemple: 1 Il fait chaud. On pourrait aller à la piscine.

Pages lecture

1

Les Pics Blancs

▲ À la station des Pics Blancs, il fait froid, mais il fait beau.

▲ Après le ski, il y a beaucoup de choses à faire.

▲ On peut écouter de la musique, aller à la piscine. On peut faire du skate ou jouer au tennis.

▲ La station des Pics Blancs, c'est formidable!

2

Au **lycée La Fontaine**, il y a des clubs d'activités après les cours. On peut jouer du **piano**, faire de la **danse**. Il y a un club d'**informatique** et un club **radio**. On peut aussi regarder des **vidéos** ou être avec ses copains, tout simplement.

3

Les Grands Pins

Venez passer vos vacances au camping des Grands Pins. Il fait beau, il fait chaud. Il y a une piscine et plusieurs courts de tennis. On peut être actif et faire du vélo, ou on peut lire sous les arbres.

L'Hôtel du Lac

4

Pour les vacances ou les affaires, l'Hôtel du Lac est confortable et très propre. Les visiteurs aiment le calme? On peut se promener dans le parc.

Les visiteurs préfèrent l'activité? On peut faire du sport, aller à la piscine.

Le soir, on peut écouter de la musique: on joue du piano dans le bar.

a

Chère Élodie

C'est horrible ici! Il fait froid et il ne fait pas beau. Après le ski on peut faire du skate, c'est vrai, mais moi, je préfère jouer au foot. Il y a des courts de tennis, mais moi, je préfère le badminton. Le week-end, il n'y a pas grand-chose à faire, alors on regarde des vidéos.

Andrew

b

Cher Gavin

Il fait trop chaud ici. Il y a une piscine, mais il y a trop de monde dans la piscine. Les courts de tennis sont nuls.

Patrice

c

Cher Rhys

Mes parents détestent l'hôtel. Il n'y a pas de parc, seulement un petit jardin. L'hôtel n'est pas calme: il y a trop de circulation. Il fait froid dans les chambres et il pleut dans la salle à manger.

Christelle

d

Chère Fatia

Les activités sont super à l'école. Moi, je préfère le club radio. On prépare des émissions, comme une vraie station de radio!

Siobhan

 Lis les brochures et les lettres, et fais correspondre. Qui aime, qui n'aime pas?

 Écris les différences entre la brochure et la lettre.

Exemple: **1** Les Pics Blancs

Selon la brochure, il fait beau. Selon Andrew, il ne fait pas beau...

Je comprends!

nouvelle = a new girl
idée = idea

Découvertes

1 Comment dit-on ... en français? Cherche.

Exemple: **1** *Je joue de la...*

2 Regarde les mots de l'activité 1.
Écoute et répète.

3 Écris ton emploi du temps idéal
après les cours
• **en hiver** (in winter)
• **en été** (in summer).

Exemple:
En hiver:
Le lundi, je fais du patin à glace.
Le mardi, ...

In Unit 5 (p.75) you saw how to look up a *noun* (a label word, for example **plage**). Now look up a *verb* (an action word), for example **jouer**. You know other forms of **jouer**: **je joue, il joue, ils jouent**. But in a dictionary, only the form **jouer** is listed.

> **jouer** [ʒwe] *vt* to play; ~ de (*MUS*)
> to play; ~ à (*jeu, sport*) to play

The *v* in *vt* stands for "verb". What do you think the letters *MUS* stand for, and why?

*MUS stands for **musique**. It tells you that "to play" (a musical instrument) is **jouer de**.*

On mange bien?

A **Didier et Alex**

In this unit you'll find out how to...

- talk about meals
- give your opinions about food
- talk about festivals and celebrations

1 Écoute et lis.

1

Comment trouves-tu la France, Alex? Est-ce qu'on mange bien ici?

Oui, les repas sont super! Chez nous, on ne mange pas comme ça! Mais toi – qu'est-ce que tu aimes en France, Didier?

2

J'aime le petit déjeuner, surtout les croissants. J'adore aussi les céréales, le chocolat chaud et les baguettes.

Miam, miam, miam!

3

Qu'est-ce que tu aimes encore?

Les haricots verts, le poulet rôti et le fromage, surtout le camembert. Et j'adore les gâteaux et le café.

4

Et toi – qu'est-ce que tu aimes en Grande-Bretagne?

Pas grand-chose! Le poisson frit, peut-être, et les saucisses. Mais surtout le thé. Je trouve le thé ici dégoûtant! Et toi – qu'est-ce que tu n'aimes pas en France?

5

Le veau et le jambon cru – je déteste ça! Et en France on mange trop d'ail! Mais c'est tout. Qu'est-ce que tu n'aimes pas en Grande-Bretagne, alors?

6

Presque tout! Le café, les hamburgers, les légumes, les frites grasses, les chips, le beurre salé…

Berk! Arrête, arrête!

Je comprends!

salé = salted
cru = raw
Miam, miam! = Yum, yum!
gras(ses) = greasy

Berk! = Ugh!
rôti = roast
frit = fried

Comment ça marche

J'aime **les** céréales.

Je déteste **le** café.

When you are saying what you like or don't like, you use **le**, **la**, **l'** or **les** before whatever it is you like or dislike.

 p.166

2 Lis encore la bande dessinée. Mets les dessins dans l'ordre.

Exemple: g, …

a

d

g

b

e

h

c

f

3 Qu'est-ce qu'on prend au petit déjeuner?
Regarde les dessins et fais une liste.

Exemple: les croissants, …

4 Lis encore la bande dessinée.
Fais des phrases – ils aiment ou ils n'aiment pas?

Exemple:
Didier aime le chocolat chaud.

5 À deux. Qu'est-ce que tu aimes?
Qu'est-ce que tu n'aimes pas?
Fais des interviews et écris des listes.

Exemple:
A: Qu'est-ce que tu aimes?
B: J'adore les frites…

6 Qu'est-ce qu'on aime dans ta classe? Qu'est-ce qu'on n'aime pas?
Dessine un graphique.

Now you know how to...

- say what kinds of food you like and dislike in France and at home:

Qu'est-ce que tu aimes	en Grande-Bretagne/ en Irlande/en France?
Qu'est-ce que tu n'aimes pas?	

j'aime	presque tout
	les céréales
j'adore	le fromage
	les saucisses
je déteste	le café
	l'ail
je n'aime pas	le beurre
	le chocolat chaud

Je n'aime pas grand-chose.
Je trouve (les gâteaux/les haricots verts, etc.) délicieux.
Je trouve ça dégoûtant.

1   Écoute et lis.

1
Tu es fatigué après le voyage, Daniel?

Non, pas tellement, Pascal. J'ai un peu...

2
... faim, bien sûr! Je suis désolé! Qu'est-ce que tu veux? Le petit déjeuner ou le déjeuner? Il est déjà dix heures et demie!

Euh... J'ai...

3
Soif? Au petit déjeuner, on boit du café au lait ou du chocolat chaud. On prend des croissants et de la baguette avec du beurre et de la confiture. Tu aimes ça?

Non, Pascal... Je...

4
Le déjeuner, alors? Au déjeuner, je prends d'habitude de la salade, de la viande et des légumes, et après ça, il y a du fromage et des fruits. On boit de l'eau. Aujourd'hui, on déjeune très bien.

Je voudrais...

5
Comme entrée, on prend de la salade verte, et comme plat principal, il y a du porc avec des pommes de terre, des carottes et des petits pois.

J'ai...

6
Après ça, il y a un bon camembert, et comme dessert, on prend des pommes, des oranges et des poires. Oui... qu'est-ce qu'il y a?

J'ai mal au cœur. J'ai le mal de mer. Où sont les toilettes?

💡 **Je comprends!**

on boit = we drink
Qu'est-ce que tu veux? = What do you want?
Qu'est-ce qu'il y a? = What's the matter?
J'ai faim. = I'm hungry.   **J'ai soif.** = I'm thirsty.
J'ai mal au cœur. = I feel sick.
J'ai le mal de mer. = I'm seasick.

Comment ça marche

Au déjeuner on prend **de la** salade, **du** porc et **des** pommes de terre. On boit **de l'** eau.

When you are saying what you eat or drink, you use **du**, **de la**, **de l'** or **des**.

 p. 168

2 On prend ça au petit déjeuner ou au déjeuner?
Écris "PD" ou "DÉJ".

Exemple: des petits pois = DÉJ

des petits pois
de la salade verte
des croissants
du café au lait
du porc
du chocolat chaud
des poires
de la confiture

Comment ça marche

Au déjeuner, je prends du porc.

Tu prends du veau.

Il prend des frites.

Elle prend du poisson.

On prend le déjeuner.

To talk about what you or other people are having for a meal, you can use **je prends**, etc. You change the ending depending on who you're talking about.

p.164

3 Vrai ou faux?

Exemple: **1** faux

1 Au petit déjeuner, Pascal boit du thé.
2 Au petit déjeuner, Pascal prend des croissants.
3 Au petit déjeuner, on prend de la viande.
4 Comme entrée, Pascal prend de la salade verte.
5 Comme plat principal, il y a du poulet.
6 Comme légume, Pascal prend des petits pois.
7 Comme dessert, on prend des frites.

4 Corrige les phrases qui sont fausses.

Exemple:
1 Au petit déjeuner, Pascal boit du café au lait.

5 À deux. A décrit le repas.
B devine quel repas A décrit.
Changez de rôle.

Exemple:
A: Comme plat principal, on prend du porc avec des pommes de terre...
B: C'est le déjeuner.

Now you know how to...

• say what you have for breakfast and for lunch:

Au petit déjeuner, je prends	de la confiture.
Au petit déjeuner, on boit	du café au lait.
Au déjeuner, on prend	de la viande.
Comme entrée, je prends	de la salade verte.
Comme plat principal, il y a	du porc.
Comme légume, on prend	des pommes de terre. des carottes.
Comme dessert il y a	des fruits.

C Du veau? Délicieux!

1 Écoute et lis.

1 Est-ce que tu as faim, Kirsty? Qu'est-ce que tu prends au goûter? Chez nous, on prend normalement un pain au chocolat ou une tartine avec du chocolat.

Rien, merci, Nadine – je n'ai pas très faim.

3 Alors, on dîne à sept heures et demie. Comme entrée, il y a de la soupe. Après ça, il y a du veau avec des légumes.

Du veau… euh, délicieux.

5 Comme légume, il y a du chou et après ça, il y a du fromage de la région. Comme dessert, il y a des bananes, du raisin et des clémentines.

Miam, miam – délicieux.

2 Ici, on ne prend pas de goûter, mais pour être polie…

Aïe – le chocolat, non merci! C'est très mauvais pour la santé…

4 Je déteste le veau, mais pour être polie…

Je déteste le veau, mais pour être polie…

6 Du veau et du chou – affreux! Je préfère la pizza et les frites. Mais pour être polie…

Du veau et du chou – affreux! Je préfère la pizza et les frites. Mais pour être polie…

Je comprends!

chez nous = at our house
rien, merci = nothing, thanks
pour être polie = to be polite
normalement = normally
pour la santé = for one's health

2 Qu'est-ce qu'il y a au goûter?
Lis encore et choisis.

1

2

3

4

5

6

3 Lis encore. Vrai ou faux?

Exemple: **1** *faux*

1 Au goûter, Nadine prend normalement une poire.
2 On dîne à sept heures et demie.
3 Comme entrée, il y a de la salade verte.
4 Kirsty adore le veau.
5 Comme légume, il y a du chou.
6 Au dessert, il y a des pommes.

> **Petit truc**
>
> | | |
> |---|---|
> | **On** s'entend bien. | Unité 3, p.45 |
> | À huit heures **on** a anglais. | Unité 6, p.84 |
>
> **On** prend normalement un pain au chocolat.

4 Jeu de mémoire. (Memory game.)
Regarde le livre pendant 30 secondes.
Puis cache la page et décris un dîner en France.

Exemple: *Comme entrée, il y a de la soupe...*

5 Tu es chez Aurélie. Écris une carte postale à ton correspondant/
ta correspondante et décris ce que tu manges. Donne aussi ton opinion.

Exemple:

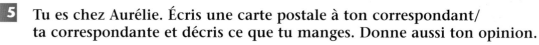

> Chère Marie-Aude
>
> Ici, on mange très bien. Au goûter, il y a...

Now you know how to...

• talk about afternoon snacks and say what you
  have for dinner:

au goûter	il y a on prend	un pain au chocolat une tartine avec du chocolat
au dîner		du fromage de la région de la pizza
comme entrée		de la soupe
comme dessert		des bananes du raisin

1   Écoute et lis.

2   Que prend Mélanie au déjeuner?

Exemple: 1, …

1 du coca		**4** des frites		**7** du ketchup	
2 des fruits		**5** du veau		**8** un hamburger	
3 des bananes		**6** des légumes			

Je comprends!

un sondage = a survey
Je vous en prie. = You're welcome.
heureux = happy

3 Vrai ou faux?

Exemple: **1** vrai

1 Mélanie aime la cantine.
2 Mélanie dit: "Je mange des frites."
3 Selon Mélanie, les repas à la cantine sont bons pour la santé.
4 Mélanie dit: "Les frites, je trouve ça dégoûtant."
5 Mélanie mange des frites au déjeuner.
6 Mélanie mange des légumes au déjeuner.

4 Regarde les dessins et décide – c'est bon ou mauvais pour la santé?

Exemple: **1** C'est mauvais pour la santé.

1

2

3

4

5

6

English has "stolen" a lot of French words. **Café** is one, although it means two things in French but only one in English. Can you think of any others?

French also "steals" English words – in fact so many that the French government is trying to stop it! How many French words can you find in this unit that are also English (or American, or Italian) words? Some may have changed a bit. Here's a start: **le hamburger...**

5 Dessine encore six choses et écris si c'est bon ou mauvais pour la santé.

Exemple: 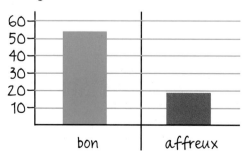 C'est bon pour la santé.

6 Fais un sondage.
C'est bon à la cantine ou pas?
Fais un graphique des résultats.

Exemple:

	bon	affreux
60		
50		
40		
30		
20		
10		

Now you know how to...

• talk about what you have to eat at school:

| à la cantine c'est | bon |
| | affreux |

Les repas ont des vitamines.

Les repas sont bons pour la santé.

| je trouve ça | délicieux |
| c'est | dégoûtant |

| c'est | mauvais pour la santé |
| | bon pour la santé |

E   Des fêtes pour tout le monde?

1   Écoute et lis.

Saïda

Ma fête préférée est Aïd-el-Fitr, à la fin du ramadan. Pour Aïd-el-Fitr mon père fait un grand couscous. Miam, miam, miam – délicieux!

2

Mathieu

En février nous fêtons le Mardi gras. On mange des crêpes avec du citron, du sucre, de la confiture et du chocolat.

3

Flore

Je n'aime pas les fêtes parce que les gens boivent trop et mangent trop. Je trouve ça dégoûtant, parce qu'en Afrique des enfants n'ont rien à manger.

4

Kévin

À Pâques on mange des œufs, des poules et des lapins en chocolat. C'est mauvais pour la santé et ça coûte trop cher, mais Pâques est ma fête préférée!

5

Sarah

Je suis juive, et ma fête préférée, c'est la Pâque juive. Ce jour-là, il n'est pas permis de manger de pain ordinaire, mais on fait un très bon repas.

6

Jacques

Je suis chrétien mais aussi végétarien. Ma fête préférée, c'est Noël. Pour Noël, je mange un gratin dauphinois: des pommes de terre, du fromage – mais pas de viande!

Je comprends!

février = February
nous fêtons = we celebrate
Ça coûte cher. = It's expensive.
il n'est pas permis = it's not allowed
ce jour-là = on that day

2   Lis les phrases. Qui dit quoi?

Exemple: **1** Sarah

1 Ma fête préférée, c'est la Pâque juive.
2 J'adore les crêpes au chocolat.
3 Après le ramadan je mange un grand couscous.
4 J'aime les lapins et les œufs en chocolat – mais ça coûte trop cher!
5 Je suis végétarien, et nous mangeons un gratin dauphinois.
6 Moi, je déteste les fêtes. Beaucoup de gens n'ont rien à manger.

3 Lis encore. Choisis une fête pour chaque personne.

Exemple: Saïda = Aïd-el-Fitr

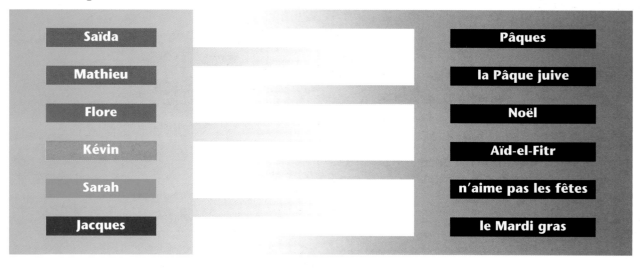

Saïda	Pâques
Mathieu	la Pâque juive
Flore	Noël
Kévin	Aïd-el-Fitr
Sarah	n'aime pas les fêtes
Jacques	le Mardi gras

4 Recopie les phrases et remplis les blancs.

Exemple: **1** Jacques est végétarien, et alors il mange
un gratin dauphinois à Noël.

1 Jacques est végétarien, alors il mange un gratin dauphinois à _____.
2 La fête d'Aïd-el-Fitr est à la fin du _____.
3 Flore n'aime pas les fêtes parce qu'il y a des gens qui n'ont rien à _____.
4 Pour le Mardi gras, Mathieu mange des _____ avec du citron, du sucre, etc.
5 Les œufs, les _____ et les _____ en chocolat, c'est mauvais pour la santé!

5 À deux. A décrit une fête réelle ou imaginaire. Pour une fête réelle, B dit le nom. Pour une fête imaginaire, B dit "BOF!"

Exemple:

A: On mange du veau avec du chocolat et des carottes.
B: BOF!

6 Dessine et décris une fête.
Si tu veux décrire une autre fête, demande à ton prof ou cherche dans le dictionnaire.

Exemple:

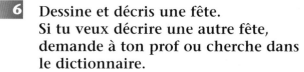

À Pâques on mange des œufs en chocolat...

Now you know how to...

• talk about festivals and celebrations:

Ma fête préférée est Aïd-el-Fitr/Noël/le Mardi gras/ la Pâque juive/Pâques.

À Pâques on mange des œufs en chocolat.

... à la fin du ramadan
Mon père fait un grand couscous.

Les gens boivent trop et mangent trop.
En Afrique des enfants n'ont rien à manger.

Je suis chrétien(ne) mais aussi végétarien(ne).
Je mange un gratin dauphinois.

On mange des crêpes avec du citron.

1 Note cinq choses que tu aimes ou que tu n'aimes pas.
Dessine-les, si tu veux.
(Draw them if you like.)

Exemple: J'aime les croissants.

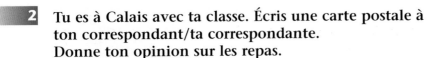

2 Tu es à Calais avec ta classe. Écris une carte postale à
ton correspondant/ta correspondante.
Donne ton opinion sur les repas.

Exemple:

> Chère Jérôme
> J'adore le petit déjeuner en
> France...

3 Fais une liste de choses typiques qu'on mange en France mais
pas (ou peu) en Grande-Bretagne.
Make a list of typical things that are eaten in France but not (much) in Britain.

Exemple: les croissants...

4 Ton correspondant/Ta correspondante est sorti(e), et tu prépares
le déjeuner. Écris une description du repas pour lui/elle (environ 30 mots).

Exemple: Au déjeuner on prend de la salade, de la viande
et des légumes. Comme entrée il y a...

5 Combien de phrases peux-tu faire avec ces mots?

> au goûter   au déjeuner   je prends   il prend
> une tartine avec du chocolat
> un pain au chocolat   une salade verte   du porc
> des petits pois   des pommes de terre   et

6 Fais une liste de dix choses que tu manges ou que tu ne manges pas, et dis pourquoi.

Exemple: Je ne mange pas de frites.
           C'est mauvais pour la santé.

7 Écris trois ou quatre phrases sur ton déjeuner à l'école. Donne ton opinion.

Exemple: À la cantine c'est bon…

8 Écris un petit reportage (environ 30 mots) sur ton déjeuner à l'école.

Exemple: Je n'aime pas la cantine.
           À la cantine c'est affreux.
           Je mange…

9 Débrouille les phrases.

Exemple: Noël, c'est ma fête préférée.

1 Noël c'est préférée , fête ma
2 lapins en chocolat mange on à des Pâques
3 pour crêpes gras on mange des Mardi
4 ramadan est du Aïd-el-Fitr à la fin
5 toutes les fêtes déteste je

10 Tu es le premier ministre d'un nouveau pays. Il faut avoir des fêtes! Invente des fêtes.
You are the Prime Minister of a new country. You need festivals! Invent some.

Exemple:

La fête de sainte Sharon
Au déjeuner on mange du chocolat…

Pages lecture

Inventions de la semaine

■ Invention numéro 1

Le "protège-cheveux pour gourmets"

Imagine – tu prends ton petit déjeuner. Il est huit heures et demie. Le collège commence à neuf heures. Tu manges très vite. Berk… il y a de la confiture et du chocolat chaud dans tes cheveux.

Maintenant, il y a une solution moderne! Achète le "protège-cheveux pour gourmets" – et il n'y a plus de problème!

■ Invention numéro 2

Le "refroidisseur de bouffe à chat"

Imagine – ton chat n'aime pas son repas. Le repas est trop chaud? Achète le refroidisseur de bouffe à chat! Maintenant, le chat contrôle la température de son repas avec la patte…

Le savais-tu?

Qu'est-ce qu'on mange?

Tu manges sans doute des frites, des fruits, des légumes, etc., et peut-être de la viande. Mais qu'est-ce qu'on mange autre part? Devine…

1 les yeux de mouton?
2 les chevaux?
3 les chiens?
4 les fourmis?
5 les sauterelles?
6 les alouettes?
7 les lapins?
8 les hérissons?
9 les mouches?
10 les algues?
11 la cervelle?
12 le cœur?

129

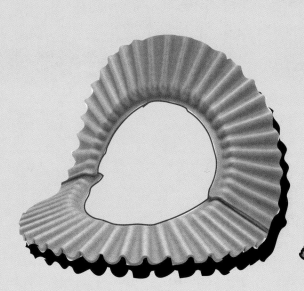

🔍 Je comprends!

le protège-cheveux = hair protector
il n'y a plus de... = there's no more
le refroidisseur = cooler
la bouffe = nosh
achète = buy
chaud = hot
la patte = paw
autre part = elsewhere
devine = guess

Le "protège-cheveux pour gourmets".
Vrai ou faux?

Exemple: **1** faux

Imagine...
1 Tu prends ton déjeuner.
2 Il est huit heures et demie.
3 Le collège commence à neuf heures et demie.
4 Il y a de la soupe dans tes cheveux.
5 Il y a une solution moderne.

Le "refroidisseur de bouffe à chat".
Lis le texte. Recopie les phrases et remplis les blancs.

Imagine...
1 Ton _____ n'aime pas son repas.
2 Le _____ est trop chaud?
3 Le _____ contrôle la température de son repas.

Qu'est-ce qu'on mange? Cherche dans le dictionnaire.
Regarde la liste. Écris "oui" ou "non" pour chaque chose.

Exemple: **1** oui

Découvertes

1 Dessine et décris un repas pour des invités que tu détestes!
Pour trouver des idées, regarde la page 128.
Draw and describe a meal for guests that you hate!
Look at page 128 for some ideas.

Exemple: Comme entrée, il y a des mouches (flies)…

2 Mots dessinés. "Dessine" des mots
qui représentent des plats.

Exemple:

WEBSITES : food

www.chateau-figeac.com
Go on a tour of a vineyard in the
south-west of France and find out
how wine is made!

www.charols.com
Look at the many different menus
available at the Charols restaurants in
the south of France.

3 Écoute et apprends le rap.
Écris encore une strophe.

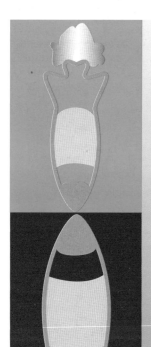

**Je prends du café au lait
Au petit déjeuner.**

**J'aime le poulet
Au déjeuner.**

**Je bois du thé
À l'heure du goûter.**

**Mais au dîner je mange du porc,
du veau, du poisson,
des carottes,
des pommes de terre…**

A Les vêtements

In this unit you'll find out how to...
- talk about clothes
- buy clothes
- buy souvenirs
- buy snacks

1 Écoute et lis.

2 À deux. A dessine un vêtement. B dit le nom.

Exemple: **A**:

B: le pantalon.
A: Non.
B: le jean.
A: Oui!

 3 Écoute. Vrai ou faux?

Exemple: **1** faux

1

3

5

2

4

6

4 Lis. Corrige les erreurs.

Exemple: **A** ~~la basket~~: la bottine

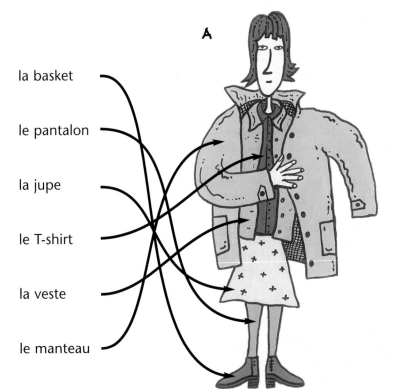

A

la basket

le pantalon

la jupe

le T-shirt

la veste

le manteau

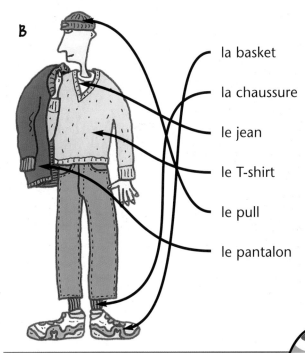

B

la basket

la chaussure

le jean

le T-shirt

le pull

le pantalon

Now you know how to...

• talk about clothes:

le jean	le T-shirt	le pull
le blouson	la jupe	la chemise
le manteau	les chaussettes	le bonnet
les chaussures	la bottine	les baskets
la robe	la veste	les collants

🎧 **1** Écoute et lis.

💡 **Je comprends!**

étroit = straight, tight

2 Cache la page 134. Écoute encore. Recopie et complète les phrases.

1 Moi, j'aime les _____ étroits et les T-shirts.
2 Et toi, Lorna, qu'est-ce que c'est, tes vêtements _____?
3 Mais je ne supporte pas l' _____ _____. Et toi, Claire?
4 Mes _____ préférés, c'est les jupes longues et les bottines.
5 Je ne _____ pas les chaussettes ou les bonnets.
6 Moi, j'aime les vêtements _____. J'adore les baskets,
   les pantalons et les blousons.

confortables
jeans
préférés
supporte
uniforme scolaire
vêtements

3 À deux. Joue à pile ou face.

pile = j'aime   face = je ne supporte pas

Exemple:

A: Je ne supporte pas les jeans étroits.

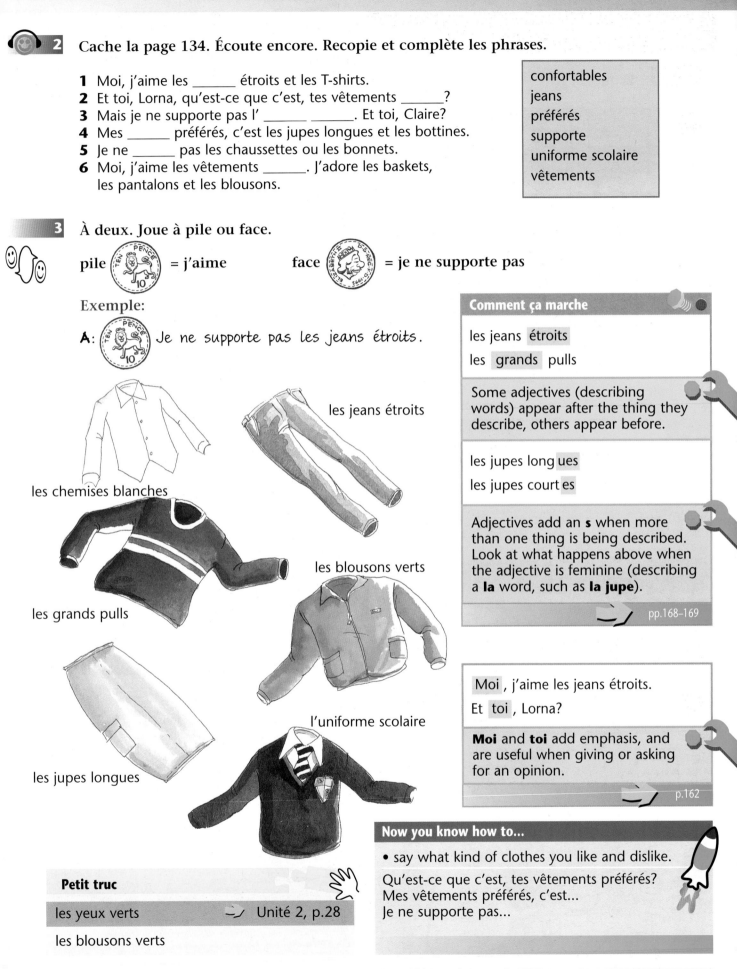

les chemises blanches

les jeans étroits

les grands pulls

les blousons verts

les jupes longues

l'uniforme scolaire

Comment ça marche

les jeans étroits
les grands pulls

Some adjectives (describing words) appear after the thing they describe, others appear before.

les jupes long ues
les jupes court es

Adjectives add an **s** when more than one thing is being described. Look at what happens above when the adjective is feminine (describing a **la** word, such as **la jupe**).

pp.168–169

Moi , j'aime les jeans étroits.
Et toi , Lorna?

Moi and **toi** add emphasis, and are useful when giving or asking for an opinion.

p.162

Now you know how to...

• say what kind of clothes you like and dislike.

Qu'est-ce que c'est, tes vêtements préférés?
Mes vêtements préférés, c'est...
Je ne supporte pas...

Petit truc

les yeux verts   Unité 2, p.28

les blousons verts

C Vous avez des jeans étroits?

1 Écoute et lis.

2 Cache la page 136. Recopie le texte et complète les phrases.

Exemple: *Je voudrais un jean, s'il vous plaît.*

——— ———
un jean , s'il vous plaît.

——— , ———.

des jeans étroits?

Oui, voilà des jeans étroits.

Vous avez des pulls roses?

...

il n'y en a plus
je suis désolée
je voudrais
oui, voilà
vous avez

3 À deux. Regardez l'activité 2.
Faites le dialogue. Changez les mots soulignés.

Comment ça marche

j'ai	vous avez
tu as	ils/elles ont
il/elle a	

Vous avez is another form of the verb **avoir**.

p.164

D **Des cadeaux pour la famille**

1 Écoute et lis.

Vous avez le dernier CD de Céline Dion, s'il vous plaît?

Je voudrais l'écharpe dans la vitrine, s'il vous plaît.

2 À deux. Jouez à pile ou face.
Pile: demandez le dernier CD de...
Face: demandez l'objet dans la vitrine.

Exemple:

A: Vous avez le dernier CD de Madonna, s'il vous plaît?

B: Je voudrais le pull dans la vitrine, s'il vous plaît.

Now you know how to...

• buy clothes and souvenirs:

| Je voudrais... , s'il vous plaît. | Oui, voilà. |
| Vous avez... ? | Je suis désolé(e), Il n'y en a plus. |

le dernier CD de...
le/la/les... dans la vitrine

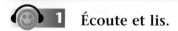

1 Écoute et lis.

2 Écoute et regarde la page 138. C'est quel dessin?

Exemple: *a = 5*

3 À deux. Dites pourquoi vous n'aimez pas les vêtements.

Exemple: ; Elles sont trop grandes.

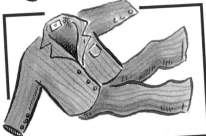

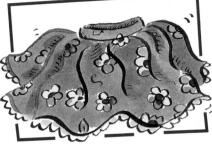

Comment ça marche

Il y a des blousons bleus.
There are some blue jackets.

Il n'y a pas de blousons bleus.
There aren't any blue jackets.

Note the change from **des** to **de** when saying that there isn't any of something.

p.168

Remember that the adjective **super** never changes:

il est super	ils sont super
elle est super	elles sont super

The adjective **cher** changes, and adds an accent when used with **la** words:

le	blouson est	cher
la	jupe est	chère
les	manteaux sont	chers
les	baskets sont	chères

p.169

Now you know how to...

• say why you don't like clothes:

(il) est trop	petit
	grand
	clair
	foncé
	cher

Ce n'est pas mon style.
Je n'aime pas la couleur.
Non, je suis désolé(e), il n'y a pas de...

Petit truc

cher Marc/chère Chantal ⟶ Unité 2, p.35

le blouson est cher
la jupe est chère

1 Écoute et lis.

2 Lis. Fais correspondre.

Exemple: **1** = c

1 une glace à la fraise (deux boules)
2 une crêpe nature
3 une glace au chocolat (une boule)
4 une glace à la fraise (une boule)
5 une crêpe chantilly
6 une glace au chocolat (trois boules)

a

b

c

d

e

f

3 À deux. A commande des crêpes ou des glaces.
B dessine la commande.

Exemple:

A: Une crêpe nature et une glace à la fraise, quatre boules, s'il vous plaît.

B:

A: Merci.

Comment ça marche

une glace **à la fraise**

a **strawberry** ice-cream

une glace **au chocolat**

a **chocolate** ice-cream

The way you describe flavours in French is quite different from the English.

p.167

4 Écris la commande.
Write out the order.

Exemple:

1 deux crêpes nature, une glace à la fraise, une boule

1

2

3

4

Now you know how to...

• buy snacks:

une glace à la fraise
        au chocolat
une boule, deux boules, trois boules, ...
une crêpe nature
       chantilly

1 Déchiffre les anagrammes. Fais correspondre avec les dessins.

Exemple: **1** = e *la chaussette*

1 sacleutathes
2 tabloinet
3 teulamane
4 taponnalle
5 soullebon
6 hisemacle

a
b
c
d
e
f

2 Écoute. Fais correspondre avec les dessins.

a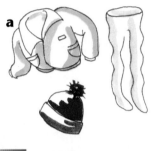
b
c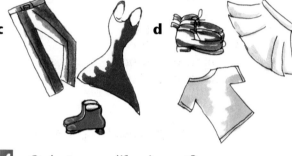
d

3 Qu'est-ce qu'ils aiment?
Qu'est-ce qu'ils n'aiment pas?
Lis et recopie.

Exemple:
Elle aime les pantalons, ...
Elle n'aime pas...
Il aime...
Il n'aime pas...

Moi, j'aime les pantalons, les bottines et les grands pulls. Et toi, qu'est-ce que c'est, tes vêtements préférés?

Moi, je ne supporte pas les grands pulls. J'aime les blousons et les T-shirts.

Mes vêtements préférés, c'est les jupes longues et aussi les grands manteaux. J'aime les vêtements confortables, mais je ne supporte pas les bonnets ou les collants.

Moi aussi, j'aime les vêtements confortables. Je ne supporte pas les jeans étroits ou les vestes.

4 Qu'est-ce qu'ils aiment?
Qu'est-ce qu'ils n'aiment pas?
Lis et recopie.

Exemple:
Il aime les vêtements confortables, ...

Moi, je préfère les vêtements confortables: les T-shirts, les grands pulls, les blousons. Mes vêtements préférés, c'est mon blouson rouge et mon grand pull vert.
Et toi, qu'est-ce que c'est, tes vêtements préférés?

Moi, je ne supporte pas les jeans ou les grands pulls. Je préfère les jupes et les collants, les chaussures noires, les chemises bleues.

Comme un uniforme scolaire... ou comme ta mère! Moi, je ne supporte pas les uniformes.

Ce n'est pas un uniforme! Et ce n'est pas comme ma mère: elle porte des jeans. Je déteste aussi les jupes longues et les bottines. Mon vêtement préféré, c'est mon grand manteau gris.

5 Écoute. Que demande la fille? Choisis.
Est-ce qu'il y en a? (Are there any?)

6 Écoute. Que demande le garçon?
Est-ce qu'il y en a? (Are there any?)

une jupe	une robe courte
une jupe verte	une robe noire
une jupe longue	une veste
une jupe courte	une veste verte
une robe	une veste noire

7 Écoute. Pourquoi n'aime-t-elle pas les pulls?
Mets les raisons dans l'ordre. (Put the reasons in the order you hear them.)

Exemple: *g*, ...

a Il est trop petit.
b Il est trop grand.
c Il est trop foncé.
d Il est trop clair.

e Je n'aime pas la couleur.
f Il est trop cher.
g Ce n'est pas mon style.

8 Fais correspondre les phrases et les dessins.

1 Elle est trop foncée.
2 Il est trop clair.
3 Elles sont trop chères.
4 Elles sont trop petites.
5 Il est trop petit.
6 Ils sont trop chers.

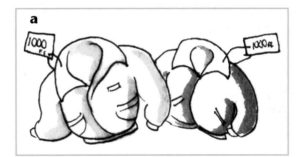

a

b

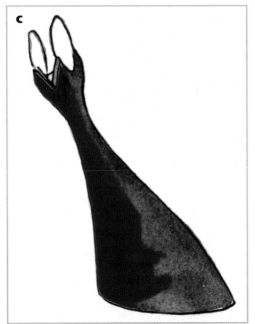

c

d

e

f

Pages lecture

C'est mon style

Le style grunge

On porte des vêtements confortables, mais on veut surtout choquer les parents: piercings, cheveux très longs pour les garçons, par exemple.

Le style sans style

On préfère les vêtements confortables: pantalons, jeans, T-shirts et baskets pour les garçons et les filles.

Le style sage

On porte des vêtements comme ses parents. On ne porte pas de jeans, de jupes courtes, de baskets. Les filles préfèrent les collants et les vestes, les garçons préfèrent les pantalons foncés et les cheveux courts. On a peut-être des boucles d'oreille, mais surtout pas de piercings.

Le style teen

On porte des vêtements à la mode. Surtout, on ne porte pas de vêtements comme ses parents. Les filles portent, par exemple, des jupes très longues, ou très courtes, des blousons, des bottines.

Manuel

a les cheveux courts. Il porte une veste bleue, une chemise blanche, un pantalon gris. Il ne supporte pas les baskets, les grands pulls, les jeans.

Samia

porte une jupe courte,
des bottines,
une chemise et
un blouson noir.
Elle ne supporte pas
les jupes longues ou
les chaussettes.

Jeanne

porte des baskets,
un pantalon confortable
et un T-shirt blanc.
Elle a les cheveux courts.
Elle ne supporte pas
les vestes, les manteaux,
les vêtements pas
confortables.

Céline

porte une jupe longue,
des baskets,
un grand pull.
Elle a des boucles d'oreille
et des piercings.

Selon toi, quel est le style des quatre garçon et filles?

Fréquence-collège

1 On pourrait faire des émissions avec d'autres collèges.

C'est une bonne idée, Delphine...

2 Mais c'est trop cher! Il faut de l'argent. Regarde: il n'y en a plus.

3 Alors, il faut trouver de l'argent.

Ce n'est pas facile. Tu as une idée?

4 Oui: un magasin de vêtements...

CDI
le mercredi
après-midi
de 14 heures à
17 heures:
Achat et vente
de vêtements

5 Voilà un blouson et des pulls: ils sont trop petits pour moi.

Voilà des jupes: ce n'est plus mon style.

Merci, Julien.

Merci, Alice.

6 Vous avez des T-shirts?

Oui, bien sûr, voilà.

7 Vous avez des pantalons noirs?

Oh, le beau blouson!

Vous avez des baskets?

8 Regardez! Nous sommes riches!

> 💡 **Je comprends!**
>
> **émission** = programme
> **CDI** = school library
> **achat** = buying
> **vente** = sale, selling

Découvertes

1 Comment dit-on… en français?
Cherche. C'est "le", "l'" ou "la"?

2 Regarde les mots de l'activité 1.
Écoute et répète.

3 Dessine et habille deux mannequins:
- dans ton style préféré;
- dans un autre style.

Ajoute des étiquettes. (Add labels.)

4 Regarde tes mannequins pour l'activité 3.
Écris un texte comme aux pages 144–145.

Exemple:

Il/Elle porte un pantalon foncé. Il/Elle ne supporte pas les jeans.

WEBSITES : clothes and shopping

www.quelle.fr

Go clothes shopping online with this French catalogue.

www.fnac.fr

fnac is France's biggest shop for CDs, books and videos. You can explore it here!

In this unit you'll find out how to...
• **talk about health and fitness**

A **La vie saine**

1 Écoute et lis.

1 Il faut mener une vie plus saine.

2 Il faut faire de l'exercice: 20 minutes d'exercice trois fois par semaine.

3 Il faut acheter un vélo, ou un vélo d'appartement…

4 Euh… je voudrais de l'équipement sportif.

Oui, c'est important.

5 … mais il faut aussi éviter le stress. Le stress, c'est dangereux. Voilà – c'est bon pour le stress.

Merci beaucoup.

6 Mener une vie saine, c'est pas mal.

UNE VIE PLUS SAINE

2 Lis encore la bande dessinée et relie les phrases et les dessins.

Exemple: **1** = a

1 Il faut mener une vie saine.
2 Il faut acheter un vélo.
3 Il faut faire de l'exercice.
4 Il faut éviter le stress.

a

c

b

d

Comment ça marche

Il faut éviter le stress.

Il faut means "you have to", "you need to" or "it's necessary to". The verb after it must be in the *infinitive* (the form given in a dictionary or word list).

p.165

3 Qu'est-ce qu'il faut faire pour être en bonne santé?
Regarde la bande dessinée à la page 148
pendant une minute.
Puis ferme le livre et fais une liste.

Exemple: *Il faut faire de l'exercice.*

4 À deux. A commence une instruction.
B doit la finir en dix secondes.
A starts an instruction. B must finish it in ten seconds.

Exemple: **A**: *Il faut mener...*
            B: *... une vie saine.*

5 Écris des instructions pour être en bonne santé.
Commence par le plus important
(the most important).

Exemple: *Il faut faire de l'exercice.*

Now you know how to...

• talk about how to stay healthy:

il faut   acheter un vélo
          faire 20 minutes d'exercice
             trois fois par semaine
          mener une vie saine
          éviter le stress

1 Écoute et lis.

1

Bonjour et bienvenue!
Voici "La santé, c'est facile".

2

Il faut manger peu de matières grasses.

Bon. Je mange peu de matières grasses.

3

Il faut manger beaucoup de pain complet.

Excellent!
Je mange beaucoup de pain complet.

4

Il faut manger plus de fruits.

Génial! Je mange beaucoup de fruits!

5

Il faut manger moins de chocolat.
Il faut boire peu d'alcool.

Quoi? Moins de chocolat et peu d'alcool? Mais…?

6

Il faut manger plus de bonbons. Il faut boire plus de boissons sucrées.

Non… je mange peu de bonbons. Je bois peu de boissons sucrées…

7

Il faut manger moins de légumes.
Il faut boire peu d'eau.
Il faut manger beaucoup de frites…

Quoi? Beaucoup de frites???

8

Il est nul, ce programme!

Hé, hé, hé…

Virus pour Programmes Parlants

2 Vrai ou faux? L'ordinateur dit...

Exemple: **1** vrai

1 "Il faut manger peu de matières grasses."
2 "Il faut manger plus de pain complet."
3 "Il faut boire beaucoup de lait."
4 "Il faut manger moins de chocolat."

3 Choisis une phrase pour chaque personne.

Exemple: Amélie = 3

Amélie

Priscilla

Didier

Damien

1 Il faut manger moins de frites.
2 Elle mange peu de chocolat.
3 Il faut manger plus de légumes.
4 Il boit beaucoup de jus de fruits.

4 À deux. A dessine quelque chose à manger.
B dit une phrase qui convient (a suitable sentence).

Exemple: **A:**

B: Il faut manger moins de frites.

5 Lis encore la bande dessinée.
Dessine des images et écris des
légendes pour corriger les
erreurs de l'ordinateur.

Exemple:

Il faut manger moins
de chocolat.

Comment ça marche

boire to drink

je bois	il boit
tu bois	elle boit
	on boit

Je bois means "I drink".
It follows a different pattern
from other verbs.

p.164

Comment ça marche

peu de chocolat

moins de coca

beaucoup de légumes

plus de jus de fruits

Use these words to say
"not much", "less", "lots"
and "more". Use **de** or **d'**
after them.

p.169

Now you know how to...

• talk about a healthy diet:

je mange	peu	de	matières grasses
je bois	moins		boissons sucrées
il faut manger	beaucoup		fruits
il faut boire	plus	d'	eau

1 Écoute et lis.

2 Qui dit quoi? Écris "le docteur" ou "Olivier" pour chaque phrase.

Exemple: **1** *le docteur*

1 Il faut éviter les cigarettes.
2 Il faut se coucher de bonne heure.
3 Pour moi, c'est le plus difficile.
4 Le plus facile, c'est d'avoir un bon matelas.
5 Je ne dors pas bien.

Je comprends!

je vais = I'm going
essayer = to try

3 Lis encore la bande dessinée et remplis les blancs.

Exemple: **1** C'est important de bien <u>dormir</u>.

1 C'est important de bien _____.
2 Pour moi, c'est le moins _____.
3 Il faut se _____ de bonne heure.
4 Il faut dormir au moins huit heures ___ ___.
5 Pour moi, c'est le plus _____!

Comment ça marche

le plus facile, c'est d'avoir un bon matelas

pour moi, c'est le moins facile

To say "the most…" or "the least…" (important, easy, difficult, etc.) you need to use **le plus** and **le moins**.

p.169

---

4 Le plus important pour toi, c'est quoi?
Et le moins important? Et le plus difficile?
Et le plus facile? Regarde la liste et fais des phrases.

Exemple:

Pour moi, le plus important, c'est d'avoir
un bon matelas.

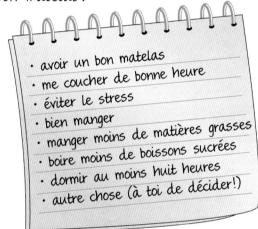

• avoir un bon matelas
• me coucher de bonne heure
• éviter le stress
• bien manger
• manger moins de matières grasses
• boire moins de boissons sucrées
• dormir au moins huit heures
• autre chose (à toi de décider!)

Petit truc

il faut **faire de l'exercice** ◡ Unité 10, p.148

le plus important, c'est de **faire de
l'exercice**

---

5 Le plus important pour les autres dans la classe, c'est quoi? Et le moins important?
Fais des interviews et prends des notes.

Exemple:

A: Le plus important pour toi, c'est quoi?
B: Pour moi, le plus important, c'est de me coucher de bonne heure.

---

6 Dessine un graphique ou un camembert pour présenter
le résultat des interviews.

Exemple:

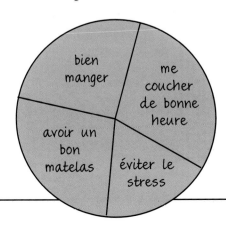

Now you know how to…

• talk about a healthy life style:

le plus	important,	c'est de	me coucher de bonne heure
le moins	facile,		dormir au moins huit heures
	difficile,	c'est d'	éviter les cigarettes éviter le stress avoir un bon matelas

1 **Quelles sont les légendes fausses?** Which captions are wrong?
Pour être en bonne santé, il faut...

1 mener une vie saine

2 faire de l'exercice

3 acheter un vélo

4 éviter le stress

2 **À toi de composer des suggestions pour la santé (regarde l'unité 7 si tu veux).**

Exemple: *Il faut jouer au football.*

3 **Plus ou moins?**

Exemple: **1** *plus*

1 Il faut boire plus/moins de jus de fruits.
2 Il faut boire plus/moins d'alcool.
3 Il faut manger plus/moins de légumes.
4 Il faut manger plus/moins de fruits.
5 Il faut manger plus/moins de matières grasses.
6 Il faut boire plus/moins de boissons sucrées.

4 Qu'est-ce qu'il faut manger? Écris tes propres suggestions
(regarde l'unité 8 si tu veux).

Exemple: Il faut manger beaucoup de poisson, ...

5 Combien de phrases peux-tu faire avec ces mots?

pour moi, le

plus

moins

important,

facile,

difficile,

c'est de

c'est d'

dormir au moins huit heures

avoir un bon matelas

éviter les cigarettes

me coucher de bonne heure

6 Écris un petit reportage sur ce qui est le plus difficile,
facile, important, etc., pour toi.

Exemple:

Pour moi, le plus important,
c'est d'éviter le stress.

WEBSITES : healthy life

www.prevention.ch/table
www.prevention.ch/apprendreamanger
More useful tips, this time on how to eat well.

Pages lecture

Inventions de la semaine

■ Invention numéro 1

Le beurre en tube

Tu manges trop de beurre? Voici une invention utile: le beurre en tube. Avec le beurre en tube, on peut beurrer les tartines, mais aussi les muffins et le maïs – et on mange moins de beurre. Mais il y a un problème: si le beurre en tube est trop froid, il ne peut pas sortir du tube. S'il est trop chaud, il coule et c'est dégoûtant!

■ Invention numéro 2

Le masticomètre

Quand on mange, le plus important, c'est de bien mâcher. C'est important pour la digestion. Est-ce que tu mâches assez? Tu n'es pas sûr(e)? Alors, il faut utiliser un masticomètre. Si tu as moins de 2000 mastications dans ton repas, il faut recommencer.

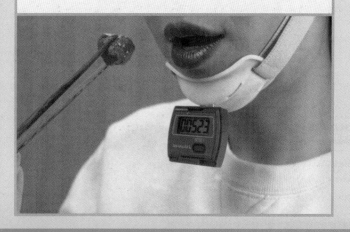

■ Invention numéro 3

Le doigt-brosse à dents

Les dents propres, c'est important pour la santé. Pour les dents, le plus important, c'est de bien brosser. Il faut se brosser les dents le matin, après les repas, le soir... Mais c'est difficile d'avoir une brosse à dents à l'école, à la piscine, au restaurant, etc. La solution est simple: le doigt-brosse à dents. Il est petit, et il tient dans une poche ou un petit sac.

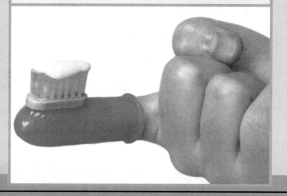

Invention numéro 4

Le chapeau anti-allergie

Il y a de la pollution dans ta
ville? L'air n'est pas propre?
Tu as une allergie?
Il faut porter le chapeau
anti-allergie. C'est un gros
rouleau de papier toilette.
Tu portes le rouleau sur la tête.
Tu peux te moucher toute la
journée.

Invention numéro 5

Devinette!

Avec cette invention:
• il n'y a pas de matières grasses
• on mâche beaucoup
• on a les dents propres.
Qu'est-ce que c'est?

Le chewing-gum, inventé par l'Américain
Adams en 1872.

 Je comprends!

beurrer = to butter
le maïs = sweet corn
il coule = it goes runny
recommencer = to start again
le doigt-brosse à dents = finger-toothbrush
la poche = pocket
se brosser les dents = to brush one's teeth
le chapeau = hat
le masticomètre = "chew-ometer"
mâcher = to chew
le rouleau = roll
se moucher = to blow one's nose
la mastication = chewing
tenir dans = to fit in

Lis et choisis a, b ou c chaque fois.

Exemple: 1 = c

1 Tu manges **a**) peu de beurre **b**) moins de beurre
c) trop de beurre? Le beurre en tube est utile pour toi.

2 Si le beurre en tube est trop froid, **a**) il peut beurrer
les muffins **b**) il est dégoûtant **c**) il ne sort pas du
tube.

3 Quand on mange, le plus important, **a**) c'est de
beurrer les tartines **b**) c'est de bien mâcher
c) c'est d'utiliser un masticomètre.

4 Il faut mâcher **a**) 1000 fois **b**) 2000 fois
c) 10 000 fois.

5 Il faut se brosser les dents **a**) avec le doigt
b) 2000 fois par jour **c**) après les repas.

6 Le doigt-brosse à dents tient **a**) dans une poche
b) dans un chapeau **c**) dans un tube.

7 On porte le chapeau anti-allergie **a**) sur la tête
b) dans un sac **c**) dans une poche.

8 Avec le chapeau anti-allergie, on peut **a**) avoir les
dents propres toute la journée **b**) avoir de l'air propre
toute la journée **c**) se moucher toute la journée.

9 Avec l'invention numéro 5, **a**) il faut mâcher
b) il faut se moucher **c**) il faut utiliser un
masticomètre.

10 L'invention numéro 5 vient **a**) de France
b) d'Amérique **c**) du Royaume-Uni.

1 Dessine et décris des suggestions pour la santé pour quelqu'un que tu détestes. Sers-toi du dictionnaire si tu veux.

Exemple: *Il faut manger des crapauds* (toads).

2 Dessine un poster avec des suggestions pour la santé.

Exemple:

3 Écoute et chante. Puis écris encore deux ou trois strophes.

Bonne santé!

Je veux faire de l'exercice,
Bonne santé, bonne santé!

Moi, je mange des légumes verts,
Bonne santé, bonne santé!

Moi, je dors huit heures par nuit,
Bonne santé, bonne santé!

Moi, j'achète un vélo bleu,
Bonne santé, bonne santé!

Moi, je nage trois fois par jour,
Bonne santé, bonne santé!

Moi, je mène une vie très saine,
Bonne santé, bonne santé!

À deux. Jetez le dé, puis répondez aux questions.

Exemple: **A**: (jette le dé) ⚁

B: Tu t'entends bien avec tes parents?

A: Oui, je m'entends bien avec mes parents.

1 Tu aimes le collège? Pourquoi?

2 Décris-toi (yeux, cheveux, etc.)

3 Décris ton caractère (sportif/sportive, travailleur/travailleuse, calme, etc.).

4 Tu t'entends bien avec tes parents?

8 Décris ta maison/ ton appartement.

7 Décris ton meilleur copain/ta meilleure copine.

6 Tu as des animaux?

5 Tu t'entends bien avec tes frères et sœurs?

9 Tu te réveilles à quelle heure? Et ensuite? Dis trois choses.

10 Tu habites dans une grande ville? À la campagne?...

11 Qu'est-ce qu'il y a à faire chez toi?

12 C'est propre ou c'est pollué chez toi?

16 Qu'est-ce que tu manges au petit déjeuner?

15 Qu'est-ce que tu fais après l'école (regarder la télé, aller à la piscine, etc.)?

14 Qu'est-ce que tu préfères au collège (les maths, le sport, etc.)? Pourquoi?

13 Qu'est-ce que tu fais le lundi au collège?

17 Qu'est-ce que tu manges au déjeuner, au collège?

18 Qu'est-ce que c'est, tes vêtements préférés?

19 Qu'est-ce qu'il faut faire pour être en bonne santé?

20 Qu'est-ce que **tu** fais pour être en bonne santé?

Pronouns

Pronouns are words like **I**, **you**, **he**, **she** and **it**. They show *who* or *what* is doing something and can replace nouns which have been used earlier. For example…

(noun)   (pronoun)

J'ai **un chien**.   **Il** s'appelle Toutou.

Here are the pronouns you've used in French so far:

je (j' before a vowel)	**I**
tu	**you** – when you're talking to *just one young person, family member or friend*
il	**he** – or **it** when you're talking about a *masculine* thing
elle	**she** – or **it** when you are talking about a *feminine* thing
on	**people in general**. In English we normally use **we** or **you** to say the same thing – for instance "we get on well" or "in hot weather you drink a lot"
nous	**we**
vous	**you** – when you're talking to *more than one person,* and to *older people outside the family,* and *strangers*
ils	**they** – when you're talking about *more than one masculine* thing, or a *mixture of masculine and feminine*
elles	**they** – when you're talking about *more than one feminine* thing

Moi, je…

In French you can often give more weight to what you are saying by adding **moi** to the beginning of your sentence. Here are some examples:

Moi, je déteste le chocolat.   **I** hate chocolate.
Moi, j'aime les maths.   **I** like maths.

Verbs

Verbs are "doing words". They are used to say what is happening or being done. All full sentences must have a verb in them. Verbs appear in lots of different forms.

The infinitive

The *infinitive* of a verb is what is usually listed in a dictionary or glossary. In English, infinitives of verbs have "to" in front of them, whereas in French they end in either **-er**, **-re** or **-ir**. Here are some examples:

jouer	to play
être	to be
partir	to leave, depart
manger	to eat
boire	to drink

The present tense

The *tense* of a verb shows *when* an action takes place. The present tense of a verb is used to talk about things which are happening at the moment, or which happen regularly.

In English there are three different ways of expressing the present tense – for example, you can say: "I play", "I do play" or "I am playing". But in French there is only one way of saying these three things: **je joue** (see below).

Stems and endings

Most French verbs can be divided into a *stem* and an *ending* – for example, using the verb **jouer**, the stem is **jou-**. This stem never changes, but the ending changes, depending on which pronoun or noun goes with it.

jouer (to play):

To use this verb, take the **–er** off the end (leaving the stem **jou-**) and do as follows:

after **je** or **j'**,	add	–e	(je joue)
after **tu**,	→	–es	(tu joues)
after **il**,	→	–e	(il joue)
after **elle**,	→	–e	(elle joue)
after **on**,	→	–e	(on joue)
after **nous**,	→	–ons	(nous jouons)
after **vous**,	→	–ez	(vous jouez)
after **ils**,	→	–ent	(ils jouent)
after **elles**,	→	–ent	(elles jouent)

If you are using somebody's name, then it's the same as if they were **il** or **elle** – for example you would say:

Jeanne <u>joue</u> avec l'ordinateur (= <u>elle</u> joue).
Pierre <u>joue</u> de la guitare (= <u>il</u> joue).

If you're using more than one name, you use the same form as with **ils** and **elles**:

Jeanne et Pierre <u>jouent</u> dans le parc (= <u>ils</u> jouent).

The endings can also be used with many other verbs whose infinitives end in **-er** – for example, with **aimer** (to like). Verbs that follow patterns like this one are called *regular verbs*.

However, a lot of the important French verbs that you've learnt in this book are *irregular verbs*. This means that you can't use a pattern to work out their different forms – you just have to learn them off by heart! Listed below are the most useful forms of some of the irregular verbs that you've met in *fusée*.

prendre (to take or to have (*a meal*)):	**boire** (to drink):	**partir** (to leave):	**sortir** (to go out):
je **prends**	je **bois**	je **pars**	je **sors**
tu **prends**	tu **bois**	tu **pars**	tu **sors**
il **prend**	il **boit**	il **part**	il **sort**
elle **prend**	elle **boit**	elle **part**	elle **sort**
on **prend**	on **boit**	on **part**	on **sort**

aller (to go):	**avoir** (to have):	**être** (to be):	**faire** (to make or to do):
je **vais**	j'**ai**	je **suis**	je **fais**
tu **vas**	tu **as**	tu **es**	tu **fais**
il **va**	il **a**	il **est**	il **fait**
elle **va**	elle **a**	elle **est**	elle **fait**
on **va**	on **a**	on **est**	on **fait**
nous **allons**	nous **avons**	nous **sommes**	nous **faisons**
vous **allez**	vous **avez**	vous **êtes**	vous **faites**
ils **vont**	ils **ont**	ils **sont**	ils **font**
elles **vont**	elles **ont**	elles **sont**	elles **font**

lire (to read):

je **lis**
tu **lis**
il **lit**
elle **lit**
on **lit**
nous **lisons**
vous **lisez**
ils **lisent**
elles **lisent**

*The verb **faire** and the weather*

The third person of **faire** (**il fait**) is often used for giving information about the weather, like the English "it's…". Here are some examples:

Il fait beau.   It's lovely.
Il fait chaud.   It's hot.
Il fait froid.   It's cold.

Reflexive verbs

There is another group of verbs, called *reflexive verbs*. These include a pronoun as well as the normal verb form. For example, here are **s'appeler** (to be called) and **se laver** (to wash oneself), which you've already met:

s'appeler (to be called):	**se laver** (to wash oneself)
je **m'**appelle	je **me** lave
tu **t'**appelles	tu **te** laves
il **s'**appelle	il **se** lave
elle **s'**appelle	elle **se** lave
	on **se** lave

Il faut...

Il faut is a special phrase which only appears in this form. It is followed by the infinitive of another verb. It means "it's necessary to", "you ought to", "one should", "you must", etc.

Il faut manger moins de chocolat.   **You/We ought to** eat less chocolate.

On peut...

On peut is used very much like **il faut**, and is always followed by the infinitive of another verb. It means "we can", "you can", "one can", "it's possible to", etc.

Chez moi, **on peut** faire du sport.   Where I live, **you can** do sport.

Negatives

To make a word **negative** French uses the words **ne** and **pas** (English uses "not".). **Ne** goes right before the verb, and **pas** goes straight after it. Here are some examples:

Je **n'**aime **pas** le chocolat.   I don't like chocolate.
Je **ne** mange **pas** de bonbons.   I don't eat sweets.
Je **ne** vais **pas** à Paris.   I'm not going to Paris.

Imperatives

The *imperative* is used for telling someone what to do or for giving instructions. There are two common imperatives – one for talking to people you would call **tu**, and one used for talking to a person or people you would call **vous**. Most of the activities in *fusée* are introduced by a verb in the imperative. Here are some examples:

<u>tu imperatives</u>   <u>vous imperatives</u>
écoute listen   **jouez** play
lis read   **travaillez** work
recopie copy (out)   **regardez** look at
complète complete   **parlez** speak

Nouns

Nouns are words for people, places, animals or things. Names are called *proper nouns*, and begin with a capital letter. Here are some ordinary nouns:

la table   le chien   la maison   la chaise   le collège

And here are some proper nouns:

Paris   Angleterre   Renault   Ginola

Plural

All nouns are either *singular* (this means there is *only one* of the thing described) or *plural* (this means there is *more than one*).

Masculine or feminine

In French, all ordinary nouns have a *gender*. They are either masculine (**le** words) or feminine (**la** words). It's like this for all nouns, even things that are not actually "male" or "female" like for example **la cuisine** (kitchen) or **le livre** (book).

Le, la, l' and les

The words **le, la, l'** and **les** (the) are called *definite articles*. They are always linked to a person, place, animal or thing and never appear on their own. In French, we can usually tell whether a noun is masculine or feminine from the article used with it. We can also tell if there are more than one of the noun.

The French words for "the" are:

(masculine)	(feminine)	(before a vowel)	(plural)
le	**la**	**l'**	**les**

Here are some examples:

le chien	**la** table	**l'**eau	**les** chips

Un, une and des

The words **un, une** and **des** (meaning "a" or "some") are called *indefinite articles*. Again, they're linked to a person, place, animal or thing and don't appear on their own. They can also tell us if a noun is masculine or feminine, and if **des** is used, we know the noun is in the plural.

The French words for "a"/"an" "and" some are:

(masculine)	(feminine)	(plural)
un	**une**	**des**

Here are some examples:

un chat	**une** chaise	**des** frites

You nearly always have to use an article like **le/la** or **un/une/des** with French nouns. In English they can often be left out (e.g. **le** vin français – French wine)

Possessive adjectives

Possessive adjectives are words that tell us that something or someone "belongs to" something or someone else. You have met **mon/ma/mes** (my) and **ton/ta/tes** (your) and **son/sa/ses** (his/her). Just like **un, une** and **des** these words change depending whether the noun which follows is masculine or feminine. Always use **mon, ton** or **son** with a masculine noun, even if it's a woman or a girl speaking, and always use **ma, ta** or **sa** with a feminine noun, even if it's a man or a boy speaking. Remember that **son** doesn't necessarily mean "his" and **sa** doesn't necessarily mean "her". They can both mean either "his" or "her" depending on whether the noun which follows is masculine or feminine. Here are some examples:

(masculine)	(feminine)	(plural)
voici **mon** père	voici **ma** sœur	voici **mes** parents
voilà **ton** frère	voilà **ta** mère	voilà **tes** enfants
son frère a dix ans	voilà **sa** sœur	**ses** parents sont divorcés

If you want to say exactly who something belongs to, in English we use an apostrophe + an s before the noun – for example, "My brother's dog". In French, you can't do it in quite the same way! Instead, French uses the word for "of" (**de**). Here are some examples:

my brother's dog (*the dog of my brother*)	→	le chien **de** mon frère
Paul's brother (*the brother of Paul*)	→	le frère **de** Paul
my mum's house (*the house of my mum*)	→	la maison **de** ma mère
the jacket's colour (*the colour of the jacket*)	→	la couleur **de** la veste

Prepositions

Prepositions are words like "on" and "in", that usually tell us where something is. Sometimes these are used in set expressions and sometimes just with nouns.

à	to, at, in (a place)
avec	with
à côté de	at the side of, next to
dans	in
sur	on

Here are some examples:

Il habite **à** Neuville.	He lives **in** Neuville.
Elle va **à** Paris.	She's going **to** Paris.
Je joue **avec** l'ordinateur.	I play **with** the computer.
La maison est **à côté de** la gare.	The house is **beside** the station.
Il habite **dans** un petit village.	He lives **in** a little village.
Le livre est **sur** la table.	The book is **on** the table.

Chez

French has a special word (**chez**) to mean "at somebody's house" or "where somebody lives". It is even used with restaurants (**Chez Pierre** = "Pierre's place"!). Here's how it is used:

chez Marie	at Marie's house/Marie's place/where Marie lives
chez Philippe	at Philippe's house/Philippe's place/where Philippe lives
chez ma mère	at my mother's house/at my mother's place/where my mother lives

au, à la and à l'

À is often used together with **le**, **la**, **l'** or **les** (the definite article) to mean "to" or "at". It is also used with sentences about places and movement, to describe flavours, and to talk about games and activities. When this happens, **à** sometimes combines with the definite article after it to form a new word: à + le becomes **au**, and à + les becomes **aux**. However, à + la and à + l' remain the same. Here are some examples:

à + le = au	Je vais **au** collège.	I go to school/college.
	une glace **au** chocolat	a chocolate ice-cream
	Il joue **au** football.	He plays football.
à + la = à la	Tu restes **à la** maison?	Are you staying at the house/at home?
	une glace **à la** fraise	a strawberry ice-cream
à + l' = à l'	Elle va **à l'**école.	She goes to school.
à + les = aux	une tarte **aux** pommes	an apple tart

de, du, de la, de l' and des

De can be used in many different ways. Its basic meaning is "of" or "from" – for instance when it's used to describe who something belongs to, as described above. It's also often put together with the definite article (**le**, **la**, **l'** or **les**), when it can either mean simply "of the", or "some". It can also be used in set phrases, as when talking about playing musical instruments.

In the same way as **à** and the definite article, **de + le** or **de + les**, combine to form new words (**du** and **des**). **De + la** and **de + l'** remain the same. Here are some examples:

de + le = du	Il prend **du** pain au petit déjeuner.	He has bread for breakfast.
	Elle joue **du** piano.	She plays the piano.
de + la = de la	Elle boit **de la** limonade.	She drinks lemonade.
	Il joue **de la** guitare.	He plays the guitar.
de + l' = de l'	On boit **de l'**eau minérale aujourd'hui.	We're drinking lemonade today.
de + les = des	Je mange **des** chips et **des** frites.	I'm eating some crisps and some chips.

Il n'y a pas de.../il y a trop de...

When saying that *there isn't any* of something or that there is *too much* of it, instead of using **du/de la/des** after **il y a**, French just uses **de** – it doesn't matter whether the noun which follows is masculine or feminine, singular or plural. Here are some examples:

Il y a de la confiture. (feminine, singular)	There is some jam.
Il n'y a pas de confiture.	There isn't any jam.
Il y a du fromage. (masculine, singular)	There is some cheese.
Il y a trop de fromage.	There's too much cheese.
Il y a des chips. (masculine, plural)	There are some crisps.
Il n'y a pas de chips.	There aren't any crisps.

Adjectives

Adjectives tell us about a noun. In English, adjectives come before the noun they are describing. In French though, they usually go *after* it. French adjectives also have different endings depending on whether the noun they describe is masculine or feminine, singular or plural. Many adjectives just add an **e** if the noun is feminine, and add an **s** if it is plural. However, if the adjective already ends in **e** it doesn't add another **e**. Similarly if it ends in **s** it doesn't take another **s** in the plural.

This table shows how the adjective **noir** (black) works in French:

	singular	plural
masculine	noir (un chat noir)	noirs (des poissons noirs)
feminine	noire (une souris noire)	noires (des perruches noires)

Adjectives before the noun

Some French adjectives do come before the noun. They still have the same endings. Here are the ones you have met, with some examples of how they are used:

grand(e)	une **grande** maison
meilleur(e)	le **meilleur** copain
petit(e)	une **petite** fille
bon(ne)	un **bon** fromage

Irregular adjectives

Some adjectives change in other ways as well as adding the endings listed above. Here are some that you have met that have irregular forms if the noun they're describing is feminine:

masculine	feminine
mou	molle
paresseux	paresseuse
bon	bonne
gentil	gentille
cher	chère

The adjectives **sympa**, **cool**, **marron** and **super** do not change at all, either in the feminine or in the plural. Here are some examples:

Elle est sympa.	C'est super!
Les profs sont cool.	Les CDs sont super!
Il a les cheveux marron.	

Un peu, très, vraiment

Adjectives are often used together with words like **un peu** (a bit), **très** (very) and **vraiment** (really) to strengthen or weaken their meaning. Here are some examples:

Il est **vraiment** gentil.	He's really kind.
Elle est **très** sympa.	She's really nice.
Il est **un peu** mou.	He's a bit "wet".

Peu de, beaucoup de, plus de, moins de

You have seen various ways to talk about quantity – how much there is of something. These are **peu de** (little, not much of), **beaucoup de** (a lot of), **plus de** (more of) and **moins de** (less of). Here are some examples of how they're used:

Je bois **peu d'**alcool.	I drink little alcohol.
Je mange **beaucoup de** bonbons.	I eat lots of sweets.
Il faut manger **moins de** chocolat.	You should eat less chocolate.
Il faut boire **plus de** jus de fruits.	You should drink more fruit juice.

Le plus..., le moins...

Le plus and **le moins** can be added to an adjective to mean "the most"/"the least..." or the "–est". Here are some examples of how this works:

le plus important	the most important
le plus grand	the biggest (the "most big")
le plus facile	the easiest (the "most easy")
le moins cher	the cheapest (the "least expensive")

Conjunctions

Conjunctions are words like "and", "but" and "because". They join parts of sentences together in different ways and allow you to make one long sentence instead of two short ones. So far you have met **et** (and), **mais** (but) and **parce que** (because). This is how they are used in French:

Il mange du pain. Il boit du thé. → Il mange du pain **et** il boit du thé.
He eats some bread and he drinks some tea.

Il aime les maths. Il déteste l'espagnol. → Il aime les maths **mais** il déteste l'espagnol.
He likes maths but he hates Spanish.

Il n'aime pas l'anglais. C'est difficile. → Il n'aime pas l'anglais **parce que** c'est difficile.
He doesn't like English because it's difficult.

Telling the time

This is how you give the time in French:

il est… une heure/
à…   deux/trois/quatre/
         cinq/six/sept/huit/
         neuf/dix/onze heures…

         …du matin
         …de l'après-midi
         …du soir

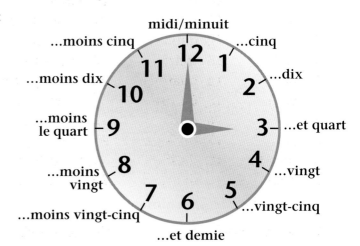

The days of the week

Used on their own, the words for the days of the week just mean "on Monday", "on Tuesday", and so on. However, when they are used with **le** they mean "on Mondays" (etc.) or "every Monday" (etc.). Here are the days of the week and some examples of how they can be used:

lundi
mardi
mercredi
jeudi
vendredi
samedi
dimanche

Lundi, on va à la piscine. On Monday we're going to the swimming pool.
Le lundi on a maths. We have maths on Mondays.
Samedi, je reste au lit. On Saturday I'm staying in bed.
Le samedi je fais mes devoirs. I do my homework on Saturdays.

The months of the year

Here are the months. Notice that in French, they don't have a capital letter.

janvier	juillet
février	août
mars	septembre
avril	octobre
mai	novembre
juin	décembre

Numbers

Here are the numbers from 1 to 100.

		10	dix	20	vingt	30	trente	50	cinquante
1	un	11	onze	21	vingt et un	31	trente et un	51	cinquante et un
2	deux	12	douze	22	vingt-deux	32	trente-deux	52	cinquante-deux
3	trois	13	treize	23	vingt-trois		*(etc.)*		*(etc.)*
4	quatre	14	quatorze	24	vingt-quatre				
5	cinq	15	quinze	25	vingt-cinq				
6	six	16	seize	26	vingt-six	40	quarante	60	soixante
7	sept	17	dix-sept	27	vingt-sept	41	quarante et un	61	soixante et un
8	huit	18	dix-huit	28	vingt-huit	42	quarante-deux	62	soixante-deux
9	neuf	19	dix-neuf	29	vingt-neuf		*(etc.)*		*(etc.)*

70 soixante-dix	80 quatre-vingts	90 quatre-vingt-dix
71 soixante et onze	81 quatre-vingt-un	91 quatre-vingt-onze
72 soixante-douze	82 quatre-vingt-deux	92 quatre-vingt-douze
73 soixante-treize	83 quatre-vingt-trois	93 quatre-vingt-treize
74 soixante-quatorze	84 quatre-vingt-quatre	94 quatre-vingt-quatorze
75 soixante-quinze	85 quatre-vingt-cinq	95 quatre-vingt-quinze
76 soixante-seize	86 quatre-vingt-six	96 quatre-vingt-seize
77 soixante-dix-sept	87 quatre-vingt-sept	97 quatre-vingt-dix-sept
78 soixante-dix-huit	88 quatre-vingt-huit	98 quatre-vingt-dix-huit
79 soixante-dix-neuf	89 quatre-vingt-neuf	99 quatre-vingt-dix-neuf
		100 cent

Les pays francophones: answers to quiz on p.69

1 French   2 53   3 France   4 France   5 In all of them!

m = masculine
f = feminine
pl = plural

French – English

A

à   to, at
à côté de   beside
abominable   terrible
accepter   to accept
l' achat (m)   buying
acheter   to buy
actif/active   active
l' activité (f)   activity
adapter   to adapt
l' adjectif (m)   adjective
adorer   to love, adore
les affaires (f pl)   business
affreux/affreuse   awful
l' Afrique (f)   Africa
l' agent de police (m)   police officer
aider   to help
aïe!   ouch!
l' ail (m)   garlic
aimer   to like, love
ajouter   to add
l' alcool (m)   alcohol
l' allemand (m)   German
aller   to go
l' allergie (f)   allergy
allons   let's go
alors   then
l' alphabet (m)   alphabet
l' ami (m) / l'amie (f)   friend
amitiés   lots of love
amusant/amusante   funny
l' anagramme (m)   anagram
l' anglais (m)   English
l' Angleterre (f)   England, Britain
l' animal (m)   animal
août   August
apprendre   to learn
après   after
l' après-midi (m)   afternoon
l' arbre (m)   tree
l' arbre généalogique (m)   family tree
l' argent (m)   money
l' armoire (f)   cupboard
arrêter   to stop
l' artiste (m)   artist
l' assemblée (f)   assembly
assez   enough
avoir de la chance   to be lucky
avoir l'air   to look (like)
au (= à + le)   at the, to the
au bord de   beside
au moins   at least
aujourd'hui   today
aussi   as well, also
autre   other
autre part   elsewhere
avancer de   to go forward

avec   with
avoir   to have
avoir faim   to be hungry
avoir soif   to be thirsty
avril   April

B

le badminton   badminton
la baguette   French stick
le balcon   balcony
la banane   banana
la bande dessinée   cartoon strip
le bar   bar
la basket   trainer
le bateau   boat
bavard/bavarde   talkative
beau/belle   nice, beautiful
le beau temps   good weather
beaucoup (de)   much, a lot (of)
le beau-père   stepfather
le bébé   baby
la belle-mère   stepmother
le beurre (doux/salé)   (un/salted) butter
beurrer   to butter
la Bible   Bible
bien   well
bien sûr   of course
bienvenue   welcome
bizarre   strange
blanc/blanche   white
le blanc   blank, gap
bleu/bleue   blue
blond/blonde   blonde
le blouson   short (biker's) jacket
boire   to drink
la boisson   drink
bon/bonne   good, right
le bonbon   sweet
bonjour   good day, hello
le bonnet   woolly hat
la bottine   ankle boot
la boucle d'oreille   earring
bouger   to move
la boule   (ice-cream) scoop
la brochure   brochure, leaflet
la brosse à dents   toothbrush
brosser   to brush
brun/brune   brown (e.g. hair)
le bulletin   (school) report
le bus   bus

C

ça   that
ça m'est égal   I'm not bothered, I don't care
ça va(?)   it's all right (is it all right?)
ça veut dire…   that means…
cacher   to hide

le cadeau   present
le café   coffee; café
le café au lait   white coffee
le cahier   exercise book
le calendrier   calendar
   calme   quiet, calm
le calme   peace and quiet
le/la camarade   friend
le camembert   camembert; pie chart
la campagne   countryside
le camping   campsite
la cantine   school canteen
la carotte   carrot
la carte   map
la carte postale   postcard
la case   box, space (*on a form*)
   casse-pieds   a "pain in the neck"
la cassette   cassette
la cathédrale   cathedral
   CDI   school library
   ce   this
   ce jour-là   that day
   célèbre   famous
   cent   (*a/one*) hundred
le centre sportif   sports centre
   c'est   it is, this is, it's
   c'est ça   that's it
   c'est la belle vie!   this is the life!
   c'est tout   that's all
la chaise   chair
la chambre   bedroom
   changer   to change
   chanter   to sing
la chantilly   whipped cream
le chapeau   hat
   chaque   each, every
   chasser   to chase, hunt
le chat   cat
   chaud/chaude   hot
la chaussette   sock
la chaussure   shoe
le chemin   way, path, route
la cheminée   chimney, fireplace
la chemise   shirt
   cher/chère   dear; expensive
   chercher   to look for, to look up
les cheveux (*m pl*)   hair
   chez   at (…'s house)
   chez nous   at home
le chien   dog
le chiffre   number, digit
les chips (*f pl*)   crisps
le chocolat (chaud)   (hot) chocolate
   choisir   to choose
   choquer   to shock
la chose   thing
le chou   cabbage
   chouette   great
   chrétien/chrétienne   Christian
la cigarette   cigarette
le cinéma   cinema
   cinq   five
   cinquante   fifty

   cinquante et un   fifty-one
   cinquante-deux   fifty-two
la circulation   traffic
le citron   lemon
   clair/claire   light-coloured
la classe   class, classroom
le classeur   file, folder
le clavier   keyboard
la clémentine   satsuma
le club d'activités   activity club
le coca   Coke
les collants (*m pl*)   tights
le collège   school, college
la colonne   column
   combien   how much, how many
la commande   order
   commander   to order
   comme ça   like this
   comme vous le savez   as you know
   commencer   to start
   comment   how; what
   comment ça marche   how it works
   comment t'appelles-tu?   what's your name?
   compléter   to complete
   compliqué/compliquée   complicated
   compréhensif/compréhensive   understanding
   comprendre   to understand
   compris?   get it?/understand?
le concert   concert
le concours   competition
la confiture   jam
   confortable   comfortable
   connu/connue   famous
   content/contente   pleased, happy
la contradiction   contradiction
   contrôler   to control
   cool   cool
le copain   friend, mate (*m*)
la copine   friend, mate (*f*)
le correspondant/la correspondante   penfriend
   corriger   to correct
se coucher   to go to bed
   couler   to run
la couleur   colour
le couple   couple
   court/courte   short
le court de tennis   tennis court
le couscous   couscous (*a North African dish*)
   coûter   to cost
le crapaud   toad
le crayon   pencil
la crêpe   pancake
le croissant   croissant
le cross   cross-country run
la cuisine   kitchen

D

   d'abord   first(ly)
   d'accord   OK
   dangereux/dangereuse   dangerous
   dans   in
la danse   dancing
   de   of, …'s

de bonne heure   early
le dé   die, dice
de plus en plus   more and more
débrouiller   to unscramble, sort out
décembre   December
décider   to decide
la découverte   discovery
décrire   to describe
dégoûtant/dégoûtante   disgusting
déjà   already
le déjeuner   lunch, midday meal
déjeuner   to have lunch
délicieux/délicieuse   delicious
demander   to ask
le demi-frère   half-brother; stepbrother
la demi-sœur   half-sister; stepsister
dernier/dernière   last; latest
des   some
désolé/désolée   sorry
la description   description
le dessert   sweet course, pudding
le dessin   drawing; art
dessiner   to draw
détester   to hate
deux   two
deviner   to guess
la devinette   guessing game
les devoirs (m pl)   homework
d'habitude   usually
le dialogue   dialogue, conversation
le dictionnaire   dictionary
différent/différente   different
la différence   difference
difficile   difficult
la digestion   digestion
le dimanche   Sunday
le dîner   evening meal
dire   to say
la disquette   (computer) disk
distribuer   to distribute, to give out
divorcé/divorcée   divorced
dix   ten
dix-sept   seventeen
dix-huit   eighteen
dix-neuf   nineteen
le docteur   doctor
donner   to give
dormir   to sleep
douze   twelve
droite   right

E

l' eau (f)   water
l' échange (m)   exchange, swap
l' écharpe (f)   scarf
l' école (f)   school
écouter   to listen
écrire   to write
l' élève   pupil, student (m or f)
elle   she
l' émission (f)   (TV, radio) programme
l' empereur (m)   emperor
l' emploi (m) du temps   timetable

en   in
en face de   opposite
en même temps   at the same time
en plus   in addition, extra
encore   more; again
l' endroit (m)   place
énergique   energetic
l' enfant (m)   child
ennuyeux/ennuyeuse   boring
énorme   enormous
l' enquête (f)   survey, investigation
enregistrer   to record
ensemble   together
l' entrée (f)   first course
entrez   come in
l' équipement (m)   equipment
l' erreur (f)   mistake
l' espagnol (m)   Spanish
essayer   to try
l' estomac (m)   stomach
et   and
l' étage (m)   storey, floor
j' étais   I was
l' été (m)   summer
l' étiquette (f)   label
être   to be
étroit/étroite   narrow
étudier   to study
éviter   to avoid
l' exemple (m)   example
expliquer   to explain

F

facile   easy
faire   to make, to do
faire correspondre   to match up
faire de l'exercice   to exercise
faire des courses   to go shopping
faire du roller   to go roller-skating
faire du sport   to do sport
faire les magasins   to go shopping
la famille   family
fantastique   terrific
fatigant/fatigante   tiring
fatigué/fatiguée   tired
le fauteuil   armchair
faux/fausse   wrong, false
féminin/féminine   feminine
la fête   party; festival
fêter   to celebrate
le feu   traffic light; fire
la feuille de travail   worksheet
février   February
la fiche   sheet
la fille   girl
fini/finie   finished
la fleur   flower
la fois   time
foncé/foncée   dark
le foot(ball)   football
la forme   form, shape
formidable   terrific
fou/folle   crazy

le **foulard** scarf
la **fraise** strawberry
français French
francophone French-speaking
la **fréquence** frequency
le **frère** brother
le **frigo** fridge
la **frite (grasse)** (greasy) chip
froid/froide cold
le **fruit** fruit
le **fromage** cheese

G

le **garage** garage
le **garçon** boy
le **gâteau** cake
la **gauche** left
génial/géniale great
les **gens** (*m pl*) people
gentil/gentille kind
la **géo(graphie)** geography
la **glace** ice-cream
la **gomme** rubber
le **goûter** afternoon snack
grand/grande big, great
la **grand-mère** grandmother
le **grand-père** grandfather
la **Grande-Bretagne** Great Britain
le **graphique** bar chart
le **gratin dauphinois** sliced potatoes baked with cheese and garlic
gris/grise grey
le **gymnase** gym(nasium)

H

habiter to live
le **hamburger** burger
le **hamster** hamster
le **haricot vert** French bean
l' **heure** (*f*) time
heureux/heureuse happy
l' **histoire** (*f*) history
l' **hiver** (*m*) winter
l' **horloge** (*f*) clock
l' **hôtel** (*m*) hotel
horrible horrible
huit eight

I

ici here
idéal/idéale ideal
l' **idée** (*f*) idea
il he, it
il faut you need, you must
il n'y a pas grand-chose there isn't much
il y a there is
l' **image** (*f*) picture
imaginaire imaginary
important/importante important
l' **imprimante** (*f*) printer
l' **informatique** (*f*) computer studies, ICT
l' **instruction** (*f*) instruction

interdit/interdite forbidden
intéressant/intéressante interesting
l' **interview** (*m*) interview
l' **interviewer** (*m*) interviewer
inventer to invent
l' **invention** (*f*) invention

J

j'ai mal au cœur I feel sick
j'ai le mal de mer I am seasick
j'aime bien I quite like
jaloux/jalouse jealous
le **jambon (cru)** (raw) ham
janvier January
le **jardin** garden
je I
je dois I must
je ne supporte pas I can't stand
je vous en prie you're welcome
le **jean** jeans
jeter to throw
le **jeu de mémoire** memory game
le **jeu-test** quiz
le **jeudi** Thursday
jouer to play
jouer au foot(ball) to play football
le **jour** day
la **journée** day
juif/juive Jewish
juin June
juillet July
la **jupe** skirt
le **jus (de fruits)** (fruit) juice

K

le **ketchup** ketchup

L

lancer to throw
la **langue** language, tongue
le **lapin** rabbit
se **laver** to have a wash
le **lave-vaisselle** dishwasher
le **lecteur** reader
la **lecture** reading
la **légende** caption
le **légume** vegetable
lentement slowly
la **lettre (de réclamation)** letter (of complaint)
lève-toi get up!
la **ligne** line
lire to read
la **liste** list
le **lit** bed
le **livre** book
loin far
long/longue long
le **lundi** Monday
les **lunettes** (*f pl*) glasses
les **lunettes de soleil** (*f pl*) sunglasses
le **lycée** school for 16–19-year-olds

M

ma (*f*) my
mâcher to chew
Madame (Mme) Mrs
le **magasin** shop
le **magnétoscope** video recorder
mai May
maintenant now
le **maire** mayor
mais but
le **maïs** sweetcorn
la **maison** house
la **majuscule** capital letter
Maman Mum
manger to eat
le **mannequin** tailor's dummy
le **manteau** coat
marcher to walk
le **mardi** Tuesday
Mardi gras Shrove Tuesday
marrant/marrante funny, amusing
marron brown (*e.g. eyes*)
mars March
masculin/masculine masculine
le **matelas** mattress
les **maths** maths (*f pl*)
la **matière** school subject
la **matière grasse** fat
le **matin** morning
mauvais/mauvaise bad
le **meilleur/ la meilleure** the best
même same, even
mener to lead
la **mer** sea
merci thank you
le **mercredi** Wednesday
la **mère** mother
le **meuble** piece of furniture
miam miam yum yum
midi midday
mille a thousand
le **ministre** minister
minuit midnight
la **minuscule** lower-case letter
la **mode** fashion
moderne modern
moi me; I
moins less, minus, to (*with time*)
mon (*m*) my
montrer to show
le **mot** word
mou/molle "wet", feeble
se **moucher** to blow one's nose
moyen/moyennne medium, so-so
le **musée** museum
la **musique** music
musulman/musulmane Muslim, Moslem

N

nager to swim
nature plain
ne … pas not

négatif/négative negative
n'est-ce pas? isn't he?, isn't she?, etc.
neuf nine
Noël Christmas
noir/noire black
le **nom** name; noun
le **nombre** number
non no
normalement normally
la **note** note
noter to note (down)
nouveau/nouvelle new
novembre November
nul zero; rubbish, useless
le **numéro** number

O

l' **objet** (*m*) object
obligatoire compulsory
octobre October
l' **œuf** (*m*) egg
officiel/officielle official
on one, we, they, people
on pourrait we could
onze eleven
l' **opinion** (*f*) opinion
l' **orange** (*f*) orange
l' **ordinateur** (*m*) computer
l' **ordre** (*m*) order
ou or
où where
oui yes
ouvrir to open

P

la **page** page
le **pain au chocolat** chocolate croissant
le **pain (complet)** (wholemeal) bread
le **pantalon** trousers
le **papier** paper
la **Pâque juive** Passover
Pâques Easter
par exemple for example
le **paragraphe** paragraph
le **parc** park
le **parc à thèmes** theme park
parce que because
pardon pardon
le **parent** parent
paresseux/paresseuse lazy
parler to speak, talk
le/la **partenaire** partner
partir to leave, go away from
pas grand-chose not much
pas mal not bad
pas marrant dreary
pas tellement not that much
passer to spend
passer l'aspirateur to vacuum
le **patin à glace** ice-skating
la **patinoire** ice-skating rink
la **patte** paw
le **pays** country

pendant   during
pénible   irritating, annoying
perdre   to lose
le père   father
la personne   person
petit/petite   little
le petit pois   pea
le petit déjeuner   breakfast
le petit truc   tip
un peu   a little, a bit
peu de   not much, not many
peut-être   maybe
le phénomène   phenomenon
la photo   photo
la phrase   sentence
le piano   piano
la pièce   coin; room
le piercing   body-piercing
pile ou face   heads or tails
la piscine   swimming pool
la pizza   pizza
le placard   (kitchen) cupboard
la place   place
la plage   beach
le plat (principal)   (main) course
pleurer   to cry
il pleut   it's raining
la pluie   rain
le pluriel   plural
plus   more
plus tard   later
plusieurs   several
la poche   pocket
le poème   poem
la poire   pear
le poisson (frit)   (fried) fish
le poème   poem
la poire   pear
poli/polie   polite
pollué/polluée   polluted
la pollution   pollution
la pomme   apple
la pomme de terre   potato
le poney   pony
le porc   pork
le port   port
porter   to wear; to carry
poser   to put
positif/positive   positive
possible   possible
la poule   hen
le poulet (rôti)   (roast) chicken
pour   for, in order to
pour aller…?   how do I get to…?
pour lui/elle   for him/her
pourquoi   why
pouvoir   to be able to, can
préféré/préférée   favourite
préférer   to prefer
premier/première   first
prendre   to take; to have (*food, drink*)
préparer   to prepare, get ready
près   near

le présentateur   presenter
présenter   to present
presque   nearly
prêt/prête   ready
le prix   prize
le problème   problem
le prof(esseur)   teacher
le programme   programme
le projet   project
se promener   to go for a walk
promener le chien   to walk the dog
propre   clean
le pull   jumper
pur/pure   pure

Q

le quart   quarter
quand   when
quatre   four
quatorze   fourteen
quarante   forty
quarante et un   forty-one
quarante-deux   forty-two
quatre vingts   eighty
quatre-vingt-un   eighty-one
quatre-vingt-deux   eighty-two
quatre-vingt-trois   eighty-three
quatre-vingt-dix   ninety
quatre-vingt-onze   ninety-one
quatre-vingt-douze   ninety-two
quatre-vingt-treize   ninety-three
que   that, which
que…?   what…?
quel/quelle   what, which
quelle heure est-il   what time is it?
quelque chose   something
quelquefois   sometimes
quelqu'un   someone
qu'est-ce qu'il y a?   what's the matter?
qu'est-ce que…?   what…? (*in question*)
la question   question
qui   who
quinze   fifteen
quitter   to leave, to go from
quoi?   what?
quotidien/quotidienne   everyday

R

la radio   radio
le raisin   grapes
la raison   reason
ranger   to tidy
le rap   rap
râpé/râpée   grated
le rassemblement   assembly
le rat   rat
recommencer   to start again
reconnaître   to recognise
recopier   to copy out
la récréation   break
reculer de   to go back
réel/réelle   real
refuser   to refuse

regarder   to look
la **région**   area
relier   to join up
la **religion**   religion
remplir   to fill (in)
le **repas**   meal
répéter   to repeat
répondre   to reply, to answer
le **reportage**   report
rester   to stay, remain
le **résultat**   result
le **retour**   return
se **réveiller**   to wake up
revenir   to come back
le **rez-de-chaussée**   ground floor
riche   rich
rien   nothing
la **robe**   dress
le **robot**   robot
le **rock**   rock music
le **rôle**   role
rose   pink
roux/rousse   ginger, red-haired

S

le **sac**   bag
sage   tame; sensible
sain/saine   healthy
la **salade**   salad
la **salle de bains**   bathroom
salut   hello, hi
le **samedi**   Saturday
s'appeler   to be called
sans   without
la **santé**   health
la **sauce**   sauce
la **saucisse**   sausage
les **sciences** (*f pl*)   science
scolaire   (*to do with*) school
la **seconde**   second
seize   sixteen
le **séjour**   sitting room
selon   according to
la **semaine**   week
s'entendre   to get on with
sept   seven
septembre   September
sers-toi   help yourself
sers-toi de...   use...
seul/seule   alone
s'il vous plaît   please
si tu veux   if you like
simplement   simply
six   six
le **skate**   skateboard
le **ski**   skiing
la **sœur**   sister
le **sofa**   sofa
le **soir**   evening
soixante   sixty
   soixante et un   sixty-one
   soixante-deux   sixty-two

soixante-dix   seventy
   soixante et onze   seventy-one
   soixante-douze   seventy-two
   soixante-treize   seventy-three
la **solution**   solution
le **sondage**   survey
sortir   to leave, go out
souligné/soulignée   underlined
la **soupe**   soup
la **souris**   mouse
sous   under
la **spécialité**   special dish
le **sport**   sport
sportif/sportive   sporty
la **station**   resort; station
le **stress**   stress
la **strophe**   verse
le **style**   style
le **stylo**   pen
sucré/sucrée   sweet
la **suggestion**   suggestion
super   super, great
le **supermarché**   supermarket
supposer   to suppose
sur   on; about
sûr/sûre   sure
surtout   mostly
le **symbole**   symbol
sympa   nice
le **syndicat d'initiative**   tourist office

T

la **table**   table
le **tableau**   picture, chart
de **taille moyenne**   medium-sized
tard   late
la **tartine (de beurre)**   bread (and butter)
la **technologie**   design and technology
la **télé(vision)**   television
téléphoner   to phone
la **température**   temperature
le **temps**   weather
tenir   to fit
le **tennis**   tennis
la **Terre**   Earth
la **tête**   head
le **texte**   text
le **thé**   tea
toi   you
les **toilettes** (*f pl*)   toilet(s)
tolérant/tolérante   tolerant
ton (*m*)   your
toujours   always
la **tour Eiffel**   the Eiffel Tower
le/la **touriste**   tourist (*noun*)
touristique   tourist (*adjective*)
tourner   to turn
tout   all, everything
tout droit   straight on
travailler   to work
travailleur/travailleuse   hard-working
treize   thirteen

trente   thirty
   trente et un   thirty-one
   trente-deux   thirty-two
très   very
trois   three
trop   too
trop de   too much, too many
trop de monde   too many people
trouver   to find
le **T-shirt**   T-shirt
tu   you
typique   typical

U

un/une   one, a
l' **uniforme** (*m*)   uniform
utile   useful
utiliser   to use

il **va**   he/it goes
les **vacances** (*f pl*)   holidays
le **veau**   veal
   végétarien/végétarienne   vegetarian
le **vélo (d'appartement)**   (exercise) bike
le **vendredi**   Friday
   venir   to come
la **vente**   sale
les **verres de contact** (*m pl*)   contact lenses
   vert/verte   green
la **veste**   jacket

le **vêtement**   item of clothing
la **viande**   meat
la **vidéo**   video
   vider   to empty
la **vie**   life
   viens   come on
la **ville**   town
   vingt   twenty
      vingt et un   twenty-one
      vingt-deux   twenty-two
      vingt-trois   twenty-three
      vingt-quatre   twenty-four
      vingt-cinq   twenty-five
   visiter   to visit
le **visiteur**   guest
la **vitamine**   vitamin
   vite   quickly
la **vitrine**   shop window
   voici   here is
   voilà   there is; here you are
je **voudrais**   I would like
   vouloir dire   to mean
le **voyage**   trip, journey
   vrai   right, correct
   vraiment   really

W

le **week-end**   weekend

Y

les **yeux** (*m pl*)   eyes

English – French

A

according to   selon
to add   ajouter
after   après
afternoon   l'après-midi (*m*)
alcohol   l'alcool (*m*)
all   tout
alone   seul/seule
already   déjà
and   et
animal   l'animal (*m*)
apple   la pomme
April   avril
armchair   le fauteuil
as well, also   aussi
at (…'s house)   chez
at least   au moins
at the   au (= *à + le*)
at the side of   au bord de
August   août
to avoid   éviter
awful   affreux/affreuse

B

baby   le bébé
balcony   le balcon
banana   la banane
bathroom   la salle de bains
to be   être
to be called   s'appeler
to be hungry   avoir faim
to be thirsty   avoir soif
beach   la plage
French bean   le haricot vert
bed   le lit
bedroom   la chambre
beside   à côté de
best   meilleur/meilleure
Bible   la Bible
big, great   grand/grande
(exercise) bike   le vélo (d'appartement)
black   noir/noire
blonde   blond/blonde
blue   bleu/bleue
body-piercing   le piercing
ankle boot   la bottine
boring   ennuyeux/ennuyeuse
boy   le garçon
(wholemeal) bread   le pain (complet)
bread (and butter)   la tartine (de beurre)
break   la récréation
breakfast   le petit déjeuner
brother   le frère
brown   brun/brune (*e.g. hair*)
brown   marron (*e.g. eyes*)
burger   le hamburger
bus   le bus
but   mais
(un/salted) butter   le beurre (doux/salé)

C

cabbage   le chou
café   le café
I can't stand   je ne supporte pas
school canteen   la cantine (scolaire)
carrot   la carotte
cat   le chat
cathedral   la cathédrale
to celebrate   fêter
chair   la chaise
cheese   le fromage
(roast) chicken   le poulet (rôti)
child   l'enfant (*m*)
(greasy) chip   la frite (grasse)
(hot) chocolate   le chocolat (chaud)
chocolate croissant   le pain au chocolat
Christian   chrétien/chrétienne
Christmas   Noël
cigarette   la cigarette
cinema   le cinéma
class   la classe
clean   propre
(white) coffee   le café (au lait)
Coke   le coca
cold   froid/froide
colour   la couleur
to come   venir
compulsory   obligatoire
computer   l'ordinateur (*m*)
computer studies, ICT   l'informatique (*f*)
concert   le concert
contact lenses   les verres de contact (*m pl*)
cool   cool
to cost   coûter
we could   on pourrait
countryside   la campagne
(main) course   le plat (principal)
whipped cream   la chantilly
cupboard   l'armoire (*f*)
(kitchen) cupboard   le placard

D

dancing   la danse
dangerous   dangereux/dangereuse
dark   foncé/foncée
dear   cher/chère
December   décembre
delicious   délicieux/délicieuse
die, dice   le dé
different   différent/différente
difficult   difficile
disgusting   dégoûtant/dégoûtante
dishwasher   le lave-vaisselle
(computer) disk   la disquette
divorced   divorcé/divorcée
to do sport   faire du sport
dog   le chien
dreary   pas marrant
to drink   boire

drink   la boisson
during   pendant

E

earring   la boucle d'oreille
to **eat**   manger
Easter   Pâques
egg   l'œuf (m)
eight   huit
eighteen   dix-huit
eighty   quatre vingts
   eighty-one   quatre-vingt-un
   eighty-two   quatre-vingt-deux
   eighty-three   quatre-vingt-trois
eleven   onze
to **empty**   vider
energetic   énergique
English   anglais/anglaise
enormous   énorme
enough   assez
evening   le soir
evening meal   le dîner
to **exercise**   faire de l'exercice
exercise book   le cahier
eyes   les yeux (m pl)

F

family   la famille
far   loin
fat   la matière grasse
father   le père
favourite   préféré/préférée
February   février
feminine   féminin/féminine
festival   la fête
fifteen   quinze
fifty   **cinquante**
   fifty-one   cinquante et un
   fifty-two   cinquante-deux
file, folder   le classeur
to **find**   trouver
first   premier/première
first(ly)   d'abord
first course   l'entrée (f)
(fried) **fish**   le poisson (frit)
five   cinq
flower   la fleur
football   le foot(ball)
for   pour
four   quatre
fourteen   quatorze
forty   quarante
   forty-one   quarante et un
   forty-two   quarante-deux
French   français/française
French-speaking   francophone
French stick   la baguette
frequency   la fréquence
fridge, refrigerator   le frigo
friend, mate   le copain/la copine
fruit   le fruit
fruit juice   le jus de fruit

funny   amusant/amusante
furniture   les meubles (m pl)

G

garage   le garage
garden   le jardin
garlic   l'ail
geography   la géo(graphie)
get it?   compris?
to **get on (with)**   s'entendre (avec)
ginger, red-haired   roux/rousse
girl   la fille
glasses   les lunettes (f pl)
to **go**   aller
to **go for a walk**   se promener
to **go shopping**   faire les magasins
to **go to bed**   se coucher
good day, hello   bonjour
good, right   bon/bonne
grandfather   le grand-père
grandmother   la grand-mère
grapes   le raisin
grated   râpé/râpée
great   génial/géniale
green   vert/verte
grey   gris/grise
ground floor   le rez-de-chaussée
to **guess**   deviner

H

hair   les cheveux (m pl)
half-brother (stepbrother)   le demi-frère
half-sister (stepsister)   la demi-sœur
(raw) **ham**   le jambon (cru)
hamster   le hamster
happy   content/contente
hard-working   travailleur/travailleuse
hat   le chapeau
to **hate**   détester
to **have**   avoir
to **have a wash**   se laver
to **have lunch/dinner**   déjeuner
he, it   il
healthy   sain/saine
hello, hi   salut
to **help**   aider
here   ici
here you are   voilà
homework   les devoirs (m pl)
hot   chaud/chaude
house   la maison
how   comment
how do I get to...?   pour aller...?
how much, how many   combien
a/one **hundred**   cent

I

I   je
I don't care   ça m'est égal
ice-cream   la glace
(ice-cream) scoop   la boule

ice-skating rink   la patinoire
important   important/importante
in   en, dans
in front of   en face de
in order to   pour
interesting   intéressant/intéressante
irritating, annoying, horrible   pénible
it is, this is, it's   c'est

J

jacket   la veste
short (bomber) **jacket**   le blouson
jam   la confiture
January   janvier
jealous   jaloux/jalouse
Jewish   juif/juive
(fruit) **juice**   le jus (de fruit)
July   july
jumper   le pull
June   juin

K

ketchup   le ketchup
keyboard   le clavier
kind   gentil/gentille
kitchen   la cuisine

L

lazy   paresseux/paressuese
to **lead**   mener
to **leave**   partir
to **leave, go away from**   quitter
to **leave, go out**   sortir
left   gauche
lemon   le citron
less, minus, to (*with time*)   moins
letter (of complaint)   la lettre (de réclamation)
life   la vie
light-coloured   clair/claire
to **like, love**   aimer
I quite **like**   j'aime bien
little   petit/petite
a **little, a bit**   un peu
to **live**   habiter
long   long/longue
lunch, midday meal   le déjeuner

M

mad, stupid, crazy   fou/folle
to **make, do**   faire
March   mars
masculine   masculin/masculine
maths   les maths
mattress   le matelas
May   mai
maybe   peut-être
me   moi
medium-sized   de taille moyenne
meal   le repas
meat   la viande
midday   midi

midnight   minuit
Monday   lundi
money   l'argent
more   plus
morning   le matin
Moslem   musulman/musulmane
mostly   surtout
mother   la mère
Mrs   Madame (Mme)
much, a lot (of)   beaucoup (de)
museum   le musée
music   la musique
I **must**   je dois
you **must**   tu dois; il faut
my   mon/ma

N

name   le nom
narrow   étroit/étroite
near   près
nearly   presque
you **need**   il faut
nice   sympa
nice, beautiful   beau/belle
nine   neuf
nineteen   dix-neuf
ninety   quatre-vingt-dix
ninety-one   quatre-vingt-onze
ninety-two   quatre-vingt-douze
ninety-three   quatre-vingt-treize
no   non
normally   d'habitude
not   ne … pas
not bad   pas mal
not much, not many   peu de
noun   le nom
November   novembre

O

October   octobre
of course   bien sûr
of the   du/de la
official   officiel/officielle
OK   d'accord
on   sur
one, a   un/une
one, we, they, people   on
to **open**   ouvrir
opinion   l'opinion (*f*)
opposite   en face de
or   ou
orange   l'orange (*f*)
ouch!   aïe!

P

a **"pain in the neck"**   casse-pieds
pancake   la crêpe
paper   le papier
pardon   pardon
parent   le parent
park   le parc
party   la fête
Passover   la Pâque juive

pea   le petit pois
pear   la poire
pen   le stylo
pencil   le crayon
person   la personne
picture   l'image (f)
piano   le piano
piece of furniture   le meuble
pink   rose
pizza   la pizza
plain   nature
to play   jouer
to play football   jouer au foot(ball)
please   s'il vous plaît
pleased   content/contente
polluted   pollué/polluée
pony   le poney
pork   le porc
port   le port
potato   la pomme de terre
to prefer   préférer
present   le cadeau
printer   l'imprimante (f)
pupil, student   l'élève (m or f)
pure   pur/pure

Q

quarter   le quart
quickly   vite
quiet, calm   calme

R

it's raining   il pleut
rat   le rat
really   vraiment
religion   la religion
right   droite
rubber   la gomme

S

salad   la salade
satsuma   la clémentine
sausage   la saucisse
scarf   le foulard
school   l'école (f)
(to do with) school   scolaire
school, college   le collège
school subject   la matière
sea   la mer
September   septembre
seven   sept
seventeen   dix-sept
seventy   soixante-dix
   seventy-one   soixante et onze
   seventy-two   soixante-douze
   seventy-three   soixante-treize
several   plusieurs
she   elle
shirt   la chemise
shoe   la chaussure
shop   le magasin
short   court/courte
Shrove Tuesday   Mardi gras

sister   la sœur
sitting room   le séjour
six   six
sixteen   seize
sixty   soixante
   sixty-one   soixante et un
   sixty-two   soixante-deux
skateboard   le skate
skirt   la jupe
to sleep   dormir
sock   la chaussette
sofa   le sofa
some   des
sometimes   quelquefois
soup   la soupe
sorry   désolé/désolée
sport   le sport
sports centre   le centre sportif
sporty   sportif/sportive
stepbrother   le demi-frère
stepfather   le beau-père
stepmother   la belle-mère
stepsister   la demi-sœur
storey, floor   l'étage (m)
straight on   tout droit
strawberry   la fraise
stress   le stress
style   le style
summer   l'été (m)
sunglasses   les lunettes de soleil (f pl)
super, great   super
supermarket   le supermarché
sweet   sucré/sucrée; le bonbon
sweet course   le dessert
swimming pool   la piscine

T

table   la table
to take, have (food/drink)   prendre
talkative   bavard/bavarde
tea   le thé
teacher   le prof(esseur)
television   la télé(vision)
ten   dix
tennis   le tennis
terrific   fantastique
thank you   merci
that   ça
that's it   c'est ça
theme park   le parc à thèmes
then   alors
there is   il y a; voilà
there isn't much   il n'y a pas grand-chose
thirteen   treize
thirty   trente
   thirty-one   trente et un
   thirty-two   trente deux
this   ce
three   trois
to tidy   ranger
(e.g. one) time   la fois
time   l'heure (f)

tiring   fatigant/fatigante
to, at   à
toilet(s)   les toilettes (*f pl*)
tolerant   tolérant/tolérante
too   trop
too much, too many   trop de
tourist office   le syndicat d'initiative
town   la ville
traffic light   le feu
trainer   la basket
trousers   le pantalon
T-shirt   le T-shirt
to turn   tourner
two   deux
twelve   douze
twenty   vingt
   twenty-one   vingt et un
   twenty-two   vingt-deux
   twenty-three   vingt-trois
   twenty-four   vingt-quatre
   twenty-five   vingt-cinq

U

to understand   comprendre
understand?   compris?
understanding
   compréhensif/compréhensive
uniform   l'uniforme (m)
usually   normalement

V

to vacuum   passer l'aspirateur
veal   le veau
vegetable   le légume
vegetarian   végétarien/végétarienne
very   très
video   la vidéo
video recorder   le magnétoscope
to visit   visiter
vitamin   la vitamine

W

to wake up   se réveiller
to walk the dog   promener le chien
I was   j'étais
water   l'eau (*f*)
week   la semaine
weekend   le week-end
well   bien
"wet", feeble   mou/molle
what (*in question*)...?   qu'est-ce que...?
what time is it?   quelle heure est-il?
what's the matter?   qu'est-ce qu'il y a?
what's your name?   comment
   t'appelles-tu?
when   quand
where?   où?
white   blanc/blanche
why?   pourquoi?
with   avec
I would like   je voudrais
woolly hat   le bonnet

Y

yes   oui
you   tu; toi (*emphasis*)
you   tu
your   ton/ta

Z

zero; rubbish, useless   nul/nulle